# 여러분의 합격을 응원하는
# 해커스공무원 특별 혜택

**FREE** 공무원 국어 **동영상강의**

해커스공무원(gosi.Hackers.com) 접속 후 로그인 ▶ 상단의 [무료강좌] 클릭 ▶
좌측의 [교재 무료특강] 클릭

 해커스공무원 온라인 단과강의 **20% 할인쿠폰**

## 788AA3FE6896D54B

해커스공무원(gosi.Hackers.com) 접속 후 로그인 ▶ 상단의 [나의 강의실] 클릭 ▶
좌측의 [쿠폰등록] 클릭 ▶ 위 쿠폰번호 입력 후 이용

* 쿠폰 이용 기한: 2022년 12월 31일까지(등록 후 7일간 사용 가능) * 쿠폰 이용 관련 문의: 1588-4055

해커스 회독증강 콘텐츠 **5만원 할인쿠폰**

## B2AC52B3D6436D5F

해커스공무원(gosi.Hackers.com) 접속 후 로그인 ▶ 상단의 [나의 강의실] 클릭 ▶
좌측의 [쿠폰등록] 클릭 ▶ 위 쿠폰번호 입력 후 이용

* 쿠폰 이용 기한: 2022년 12월 31일까지(등록 후 7일간 사용 가능)
* 월간 학습지 회독증강 행정학/행정법총론 개별상품은 할인쿠폰 할인대상에서 제외

해커스 매일국어 **어플 이용권**

## 1LH5MDMHIEUF9XH7

구글 플레이스토어/애플 앱스토어에서 [해커스 매일국어] 검색 ▶
어플 다운로드 ▶ 어플 이용 시 노출되는 쿠폰 입력란 클릭 ▶ 쿠폰번호 입력 후 이용

▲ 매일국어 어플 바로가기

* 쿠폰 이용 기한 : 2022년 12월 31일까지
* 해당 자료는 [해커스공무원 국어 기본서] 교재 내용으로 제공되는 자료로, 공무원 시험 대비에 도움이 되는 유용한 자료입니다.

# 단기 합격을 위한
# 해커스 커리큘럼

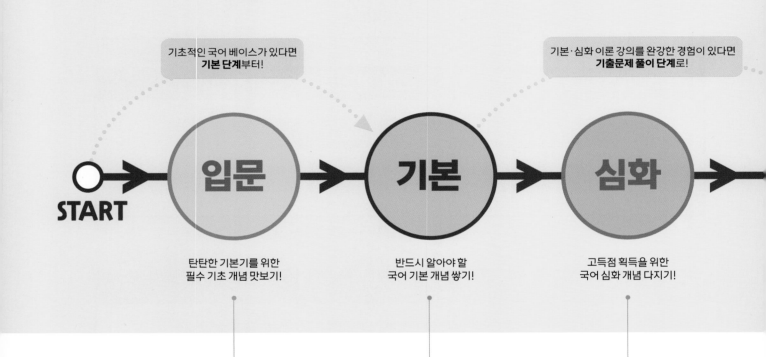

기초적인 국어 베이스가 있다면
**기본 단계**부터!

기본·심화 이론 강의를 완강한 경험이 있다면
**기출문제 풀이 단계**로!

START

입문

기본

심화

탄탄한 기본기를 위한
필수 기초 개념 맛보기!

반드시 알아야 할
국어 기본 개념 쌓기!

고득점 획득을 위한
국어 심화 개념 다지기!

**강의 쌩기초 입문반**

반드시 알아야 할 공무원 국어의 기초
개념을 학습하는 강의로, 공무원 시험
공부를 이제 막 시작한 수험생들을
위한 강의

**사용교재**

· 해커스공무원 쌩기초 입문서 국어

**강의 기본이론반**

합격에 꼭 필요한 국어의 기본 개념을
체계적·효율적으로 학습하는 강의

**사용교재**

· 해커스공무원 국어 기본서 (세트)

**강의 심화이론반**

기본 개념을 확실하게 자기 것으로
완성하고, 더불어 고득점 획득을
목표로, 심화 개념을 학습하는 강의

**사용교재**

· 해커스공무원 국어 기본서 (세트)
· 해커스공무원 단권화 핵심정리 국어

* QR코드를 스캔하시면, 레벨별 수강신청 및 사용교재 확인이 가능합니다.

**gosi.Hackers.com**

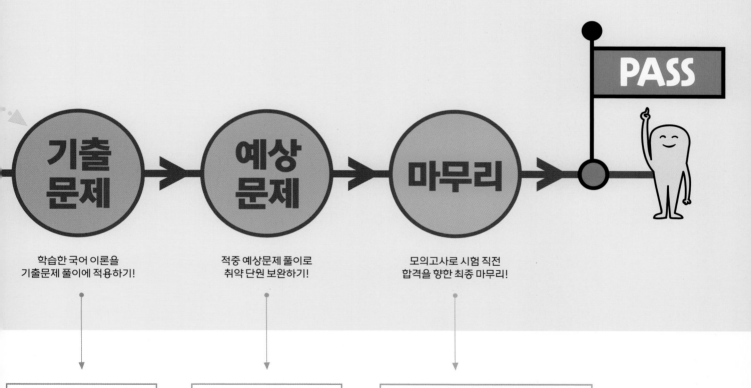

기출
문제

예상
문제

마무리

PASS

학습한 국어 이론을
기출문제 풀이에 적용하기!

적중 예상문제 풀이로
취약 단원 보완하기!

모의고사로 시험 직전
합격을 향한 최종 마무리!

## 강의 기출문제 풀이반

기본·심화 이론반에서 학습한 내용
들을 실제 기출문제 풀이에 적용
하면서 문제풀이 감각을 기르는 강의

### 사용교재

· 해커스공무원 단원별 기출문제집
  국어 (세트)

· 해커스공무원 6개년 기출문제집 국어

· 해커스공무원 최신 1개년 기출문제집 국어

· 해커스공무원 8개년 기출문제집
  공통과목 통합 국어+영어+한국사

## 강의 예상문제 풀이반

학습 막바지에 단원별 적중 예상 문제
를 풀어 보고, 취약한 단원을 파악하여
약점을 보완하는 강의

### 사용교재

· 해커스공무원 국어 비문학 독해 333 Vol. 1, 2

· 해커스공무원 단원별 적중 700제 국어

## 강의 실전동형모의고사반

최신 출제 경향을 반영한 모의고사를 풀어 보며 실전
감각을 극대화하는 강의

### 사용교재

· 해커스공무원 실전동형모의고사 국어 1, 2

## 강의 봉투모의고사반

시험 직전, 실제 시험과 동일한 형태의 봉투모의고사를
풀어보며 실전 감각을 완성하는 최종 마무리 강의

### 사용교재

· 해커스공무원 FINAL 봉투모의고사 국어

· 해커스공무원 FINAL 봉투모의고사 필수과목
  통합 국어+영어+한국사

# 해커스공무원

# 단원별 기출문제집

## 국어

**4권 | 어휘**

gosi.Hackers.com

해커스공무원 단원별 기출문제집 국어 **어휘**

# CONTENTS

# 만점이 보이는 회독 학습 가이드

## > 30일 맞춤 회독 학습 플랜

- 공무원 국어 시험은 주요 출제 포인트가 반복 출제되므로 기출문제를 회독 학습하여 각 출제 포인트의 유형과 대비 방법을 익히는 것이 만점의 비법입니다.
- 단원별 난이도와 문항 수 등을 고려하여 수립한 해커스의 '30일 맞춤 회독 학습 플랜'과 '회독별 학습 방법'을 활용하여 효과적으로 학습하세요.

| 1일 | 2일 | 3일 | 4일 | 5일 | 6일 | 7일 | 8일 | 9일 | 10일 |
|---|---|---|---|---|---|---|---|---|---|
| 1. 언어 일반 2. 필수 문법 01 | 2. 필수 문법 02 | | 2. 필수 문법 03 | 2. 필수 문법 04 | 1. 언어 일반 2. 필수 문법 - 복습 | 3. 옛말의 문법 4. 어문 규정 01 | 4. 어문 규정 02 | | 4. 어문 규정 03~06 |
| **11일** | **12일** | **13일** | **14일** | **15일** | **16일** | **17일** | **18일** | **19일** | **20일** |
| 5. 언어 생활 6. 한문 | 3. 옛말의 문법 ~ 6. 한문 - 복습 | 1. 작문·화법 | 2. 비문학 이론 3. 여러 가지 글 4. 사실적 독해 01 | 4. 사실적 독해 02 | 4. 사실적 독해 03~04 | 5. 추론적 독해 01 | 5. 추론적 독해 02~03 | 1. 작문·화법 ~ 5. 추론적 독해 - 복습 | 1. 문학 이론 2. 문학사 |
| **21일** | **22일** | **23일** | **24일** | **25일** | **26일** | **27일** | **28일** | **29일** | **30일** |
| 3. 운문 문학 01~03 | 3. 운문 문학 04~06 | 1. 문학 이론 ~ 3. 운문 문학 - 복습 | 4. 산문 문학 01~04 | 4. 산문 문학 05~07 | 4. 산문 문학 - 복습 | 1. 어휘 일반 2. 관용 표현 | 3. 한자어·고유어 01 | 3. 한자어·고유어 02~04 | 1. 어휘 일반 ~ 3. 한자어·고유어 - 복습 |

\* 학습 플랜은 'Section(1., 2., 3.) - Chapter(01, 02, 03)'의 순서로 표시하였습니다.

## > 회독별 학습 방법

### 1회독 개념 정리 단계

- 상단의 '30일 맞춤 회독 학습 플랜'에 맞춰 기출문제 풀이를 진행합니다.
- 기출문제를 풀어보며 단원별로 어떤 유형의 문제들이 출제되었는지 확인합니다.
- 문제 풀이 후 「2022 해커스공무원 국어 기본서」와 함께 개념 학습을 진행하고자 할 경우 '회독 학습 점검표'의 기본서 페이지를 참고하여 학습합니다.

### 2회독 실력 향상 단계

- 상단의 '30일 맞춤 회독 학습 플랜'을 활용하되, 1회독 때보다 학습 시간을 단축하여 학습합니다.
- '난이도 상' 문제를 중점적으로 풀어보고, 자주 출제되지 않았던 생소한 어법 개념, 문학 작품, 어휘 등을 정리합니다.
- 문제 풀이 후 보충·심화 학습을 진행하고자 할 경우 '회독 학습 점검표'의 기본서 페이지를 참고하여 학습합니다.

### 3회독 약점 극복 단계

- 1, 2회독 때 틀렸거나 어려웠던 문제 위주로 학습을 진행합니다.
- 반복해서 틀리는 문제는 해설과 오답 분석, 이것도 알면 합격을 한 번 더 꼼꼼히 읽고 모르는 부분이 없을 때까지 학습합니다.
- 3회독 이후에도 헷갈리거나 어려운 부분은 '회독 학습 점검표'의 기본서 페이지를 확인하여 관련 내용을 다시 한번 정독하도록 합니다.

# > 회독 학습 점검표

• 기출문제를 풀면서 학습이 부족한 부분이 있다면 「2022 해커스공무원 국어 기본서」의 페이지를 참고해 꼭 보충하셔야 합니다.
• 회독 후 학습일을 기록하면 전체적인 학습 상황을 확인할 수 있습니다.

| 단원 | 기본서 | 1회독 | 2회독 | 3회독 |
|---|---|---|---|---|
| **Section 1. 어휘 일반** | | | | |
| 01 표기상 틀리기 쉬운 어휘 | 4권 10p ~ 22p | 월    일 | 월    일 | 월    일 |
| 02 주제별 어휘 | 4권 24p ~ 29p | 월    일 | 월    일 | 월    일 |
| 03 혼동하기 쉬운 어휘 | 4권 30p ~ 48p | 월    일 | 월    일 | 월    일 |
| **Section 2. 관용 표현** | | | | |
| 01 관용어 | 4권 86p ~ 89p | 월    일 | 월    일 | 월    일 |
| 02 속담 | 4권 90p ~ 102p | 월    일 | 월    일 | 월    일 |
| **Section 3. 한자어와 고유어** | | | | |
| 01 한자 성어 | 4권 56p ~ 84p | 월    일 | 월    일 | 월    일 |
| 02 한자어 | 4권 116p ~ 163p | 월    일 | 월    일 | 월    일 |
| 03 고유어 | 4권 178p ~ 183p | 월    일 | 월    일 | 월    일 |
| 04 한자어와 고유어의 대응 | 4권 184p ~ 188p | 월    일 | 월    일 | 월    일 |

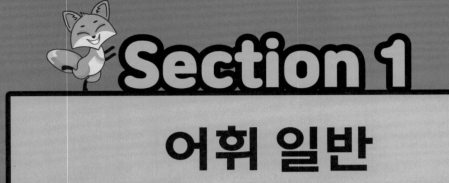

# Section 1
# 어휘 일반

 1분 만에 파악하는 **7개년 기출 트렌드**

## ● Section별 출제율
최근 7개년(2015~2021년) 국가직/지방직/서울시 7·9급

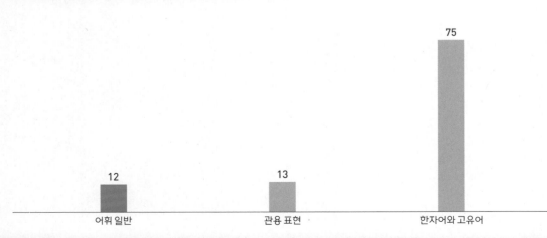

| 어휘 일반 | 관용 표현 | 한자어와 고유어 |
|---|---|---|
| 12 | 13 | 75 |

● **Section 기출 트렌드**

• 어휘 일반은 어휘에서 출제 비중이 낮은 편에 속합니다.

• 표기상 틀리기 쉽거나 혼동하기 쉬운 어휘가 주로 출제되며, 나이 또는 단위와 관련된 어휘도 종종 출제됩니다.

• 표기상 틀리기 쉬운 어휘는 맞춤법상 표기가 적절한 어휘를 고르는 형태로 출제되므로 어법과 연계하여 학습하는 것이 필요합니다. 주제별 어휘나 혼동하기 쉬운 어휘는 기출된 어휘가 반복 출제되는 경향이 있으므로 빈출 어휘를 우선적으로 학습하는 것이 좋습니다.

## 01

[2020년 국가직 9급]

**밑줄 친 부분이 바르게 쓰이지 않은 것은?**

① 지금쯤 골아떨어졌겠지?
② 그 친구, 생각이 깊던데 책깨나 읽었겠어.
③ 갖은 곤욕과 모멸과 박대는 각오한 바이다.
④ 김 과장은 그러고 나서 서류를 보완해 달라고 했다.

## 02

[2020년 소방직 9급]

**다음 편지글에서 고쳐 쓸 단어로 적절하지 않은 것은?**

> 할머니께
>   할머니, 작년 여름에 함께 장터에 가서 갈치졸임을 먹었던 기억이 생생해요. 또 할머니께서 만들어 주신 만두국과 떡볶기는 너무 맛있었어요. 할머니! 항상 무리 하시면 안 돼요. 저는 할머니가 정말 보고 싶어요. 이번 여름 방학 때 뵈요.

① 갈치졸임 → 갈치조림
② 만두국 → 만둣국
③ 떡볶기 → 떡볶이
④ 뵈요 → 봬요

## 03

[2017년 지방직 9급 (12월)]

**밑줄 친 어휘의 표기가 옳은 것은?**

① 과거에 대해서는 너무 괴념치 않는 것이 좋다.
② 필요한 부분만 책에서 발체해서 발표할 수 있다.
③ 고집대로만 했다간 문화제 계획마저도 와훼될 판이다.
④ 나는 설명서에서 그 기계의 제원을 꼼꼼히 확인하였다.

## 04

[2016년 사회복지직 9급]

**다음 중 표기가 옳게 짝지어진 것은?**

> ㄱ. 영희는 공부를 하느라 한숨도 못 자고 밤을 (세웠다, 새웠다).
> ㄴ. 네 동생은 우리가 (닥달해, 닦달해) 봐야 아무 소용이 없다.

|   | ㄱ | ㄴ |
|---|---|---|
| ① | 세웠다 | 닦달해 |
| ② | 새웠다 | 닥달해 |
| ③ | 세웠다 | 닥달해 |
| ④ | 새웠다 | 닦달해 |

표기상 틀리기 쉬운 어휘

| 29% | 21% | 50% |
|---|---|---|

주제별 어휘      혼동하기 쉬운 어휘

## 01
난이도 ★★★

**해설** ① 골아떨어졌겠지(×) → 곯아떨어졌겠지(○): '몹시 곤하거나 술에 취하여 정신을 잃고 자다'를 뜻하는 말은 '곯아떨어지다'이므로 '곯아떨어졌겠지'가 바른 표기이다.

**오답분석** ② 책깨나(○): 이때 '깨나'는 어느 정도 이상의 뜻을 나타내는 보조사이다.

③ 곤욕과(○): 이때 '곤욕'은 '심한 모욕. 또는 참기 힘든 일'을 의미한다.

④ 그러고 나서(○): 이때 '그러고'는 동사 '그리하다'의 활용형 '그리하고'가 줄어든 말로, '그렇게 하고'라는 뜻이다. 또한 '나다'는 동사 뒤에서 '-고 나다'의 구성으로 쓰여 앞말이 뜻하는 행동이 끝났음을 나타내는 보조 동사이므로 앞말과 띄어 쓴다.

## 02
난이도 ★☆☆

**해설** ④ 봬요(○) → 뵈요(×): 어간 '뵈-' 뒤에 청유의 뜻을 나타내는 종결 어미 '-어요'가 결합한 말 '뵈어요'는 '봬요'로 줄여 쓸 수 있다. 이때 '요'는 보조사이므로 어간 '뵈-'와 직접적으로 결합할 수 없다. 따라서 연결 어미를 생략한 '뵈요'와 같은 형태로 쓸 수 없다.

**오답분석** ① 갈치졸임(×) → 갈치조림(○): '고기나 생선, 채소 등을 양념하여 국물이 거의 없게 바짝 끓여서 만든 음식'을 뜻하는 단어는 '조림'으로 적어야 한다. 참고로 '졸임'은 '조림'의 잘못된 표기이다.

② 만두국(×) → 만둣국(○): '만두 + 국'은 순우리말과 한자어가 결합한 합성어로서, 앞말이 모음으로 끝나고 뒷말의 첫소리가 된소리로 나는 경우에 해당하므로 사이시옷을 받치어 적어야 한다.

③ 떡볶기(×) → 떡볶이(○): '떡볶이'는 '떡(을) + 볶(다)'에, 명사 파생 접미사 '-이'가 결합한 형태이다. 이때 접미사 '-이'의 원형을 밝혀 적어야 하므로 '떡볶이'로 적어야 한다.

## 03
난이도 ★★☆

**해설** ④ 제원(○): '기계류의 치수나 무게 등의 성능과 특성을 나타낸 수적 지표'를 뜻하는 단어는 '제원'이다. 따라서 ④는 옳은 표기이다.

**오답분석** ① 괴념(×) → 괘념(○): '마음에 두고 걱정하거나 잊지 않음'을 뜻하는 단어는 '괘념'이다.

② 발체(×) → 발췌(○): '책, 글 등에서 필요하거나 중요한 부분을 가려 뽑아냄. 또는 그런 내용'을 뜻하는 단어는 '발췌'이다.

③ 와훼(×) → 와해(○): '기와가 깨진다'라는 뜻으로, 조직이나 계획 등이 산산이 무너지고 흩어짐을 이르는 말은 '와해'이다.

## 04
난이도 ★★☆

**해설** ④ ㄱ에는 '새웠다', ㄴ에는 '닦달해'가 들어가는 것이 적절하다.
- ㄱ: '한숨도 자지 않고 밤을 지내다'를 뜻하는 '새우다'의 활용형 '새웠다'를 쓰는 것이 적절하다. '세웠다'는 '서다'의 사동형인 '세우다'의 활용형이다.
- ㄴ: '남을 단단히 윽박질러서 혼을 내다'를 뜻하는 '닦달하다'의 활용형 '닦달해'를 쓰는 것이 적절하다. '닥달하다'는 사전에 없는 단어이다.

## 1. 단위를 표시하는 어휘

### 01
[2020년 서울시 9급]

밑줄 친 단위성 의존 명사의 수량이 적은 것부터 순서대로 바르게 나열한 것은?

① 고등어 한 손 < 양말 한 타 < 바늘 한 쌈 < 북어 한 쾌
② 고등어 한 손 < 양말 한 타 < 북어 한 쾌 < 바늘 한 쌈
③ 고등어 한 손 < 북어 한 쾌 < 양말 한 타 < 바늘 한 쌈
④ 고등어 한 손 < 바늘 한 쌈 < 양말 한 타 < 북어 한 쾌

### 02
[2017년 지방직 9급 (6월)]

괄호에 들어갈 숫자의 합은?

- 쌈: 바늘 (　　) 개를 묶어 세는 단위
- 제(劑): 한약의 분량을 나타내는 단위. 한 제는 탕약 (湯藥) (　　) 첩
- 거리: 한 거리는 오이나 가지 (　　) 개

① 80　　　　　② 82
③ 90　　　　　④ 94

### 03
[2018년 국회직 9급]

다음 물건을 세는 단위 또는 숫자가 옳지 않은 것은?

① 죽: 오징어 열두 마리
② 쾌: 북어 스무 마리 또는 엽전 열 냥
③ 우리: 기와 이천 장
④ 강다리: 쪼갠 장작 100개비
⑤ 뭇: 생선 열 마리 또는 미역 열 장

## 2. 나이와 관련된 어휘

### 04
[2018년 서울시 9급 (6월)]

나이와 한자어가 바르게 연결된 것은?

① 62세 – 화갑(華甲)　　② 77세 – 희수(喜壽)
③ 88세 – 백수(白壽)　　④ 99세 – 미수(米壽)

## 3. 사람과 관련된 어휘

### 05
[2014년 서울시 9급]

제시된 단어의 뜻풀이가 바르지 않은 것은?

① 궁도련님: 부유한 집에서 자라나 세상의 어려운 일을 잘 모르는 사람
② 윤똑똑이: 사리에 어둡고, 아는 것이 없는 사람
③ 책상물림: 책상 앞에 앉아 글공부만 하여 세상일을 잘 모르는 사람
④ 두루치기: 한 사람이 여러 방면에 능통함. 또는 그런 사람
⑤ 대갈마치: 온갖 어려운 일을 겪어서 아주 야무진 사람

주제별 어휘

29%　　21%　　50%

표기상 틀리기 쉬운 어휘　　혼동하기 쉬운 어휘

## 01　난이도 ★☆☆

**해설** ② 단위 명사의 수량이 적은 것부터 나열한 것은 ② '고등어 한 손<양말 한 타<북어 한 쾌<바늘 한 쌈'이다.
- **손**: 한 손에 잡을 만한 분량을 세는 단위. 조기, 고등어, 배추 등 한 손은 큰 것 하나와 작은 것 하나를 합한 것(2마리)을 이르고, 미나리나 파 등 한 손은 한 줌 분량을 이름
- **타**: 물건 열두 개를 한 단위로 세는 말
- **쾌**: 북어를 묶어 세는 단위. 한 쾌는 북어 스무 마리를 이름
- **쌈**: 바늘을 묶어 세는 단위. 한 쌈은 바늘 스물네 개를 이름

## 02　난이도 ★★☆

**해설** ④ 바늘 24개 + 탕약 20첩 + 오이나 가지 50개 = 94
- **쌈**: 바늘을 묶어 세는 단위. 한 쌈은 바늘 24개
- **제(劑)**: 한약의 분량을 나타내는 단위. 한 제는 탕약 20첩
- **거리**: 오이나 가지를 묶어 세는 단위. 한 거리는 오이나 가지 50개

## 03　난이도 ★★☆

**해설** ① '죽'은 옷이나 그릇 10벌을 묶어 세는 단위이다.

이것도 알면 **합격**

단위 명사의 수량을 더 알아두자.
- 거리: 오이나 가지 50개
- 꾸러미: 달걀 10개
- 뭇: 생선 10마리 / 미역 10장
- 우리: 기와 2,000장
- 죽: 옷이나 그릇 10벌
- 축: 오징어 20마리
- 톳: 김 100장
- 동: 먹 10정 / 붓 10자루 / 조기 1,000마리
- 고리: 소주 10사발
- 쌈: 바늘 24개
- 제(劑): 탕약 20첩
- 쾌: 북어 20마리
- 판: 달걀 30개

## 04　난이도 ★★☆

**해설** ② 나이와 한자어가 바르게 연결된 것은 ② '77세 - 희수(喜壽)'이다.
- **희수(喜壽)**: 77세. 참고로, '희(喜)' 자는 숫자 '7'을 나타내기도 하였음

**오답 분석** ① **화갑(華甲)**: 61세. '화(華)' 자를 풀면 '十(10)'이 여섯 개이고 '一(1)'이 한 개가 되는 것에서 나온 말
③ **백수(白壽)**: 99세. '百(100)'에서 '一(1)'을 빼면 '99'가 되고 '白(일백 백)' 자가 되는 데서 나온 말
④ **미수(米壽)**: 88세. '米(미)' 자를 풀면 '88(八十八)'이 되는 것에서 나온 말

이것도 알면 **합격**

나이와 관련된 어휘를 알아두자.

| 10살 안팎의 어린 나이 | 충년(沖年) |
|---|---|
| 20살 안팎의 여자 나이 | 묘령(妙齡), 방년(芳年) |
| 20세 | 약관(弱冠) |
| 50세 | 지명(智命), 지천명(知天命), 애년(艾年) |
| 61세 | 화갑(華甲), 회갑(回甲), 환갑(還甲) |
| 62세 | 진갑(進甲) |
| 70세 | 고희(古稀), 종심(從心), 희수(稀壽) |
| 80세 | 산수(傘壽) |
| 90세 | 구질(九秩) |
| 99세 | 백수(白壽) |

## 05　난이도 ★★★

**해설** ② '윤똑똑이'는 자기만 혼자 잘나고 영악한 체하는 사람을 낮잡아 이르는 말이므로 ②는 뜻풀이가 바르지 않다.

이것도 알면 **합격**

사람과 관련된 어휘를 알아두자.

| 감바리 | 잇속을 노리고 약삭빠르게 달라붙는 사람 |
|---|---|
| 궐공 | 몸이 허약한 사람 |
| 만무방 | 1. 염치가 없이 막된 사람<br>2. 아무렇게나 생긴 사람 |
| 두루뭉수리 | 말이나 행동이 변변하지 못한 사람 |

## 01

밑줄 친 단어의 쓰임이 옳은 것은?

① 하노라고 한 것이 이 모양이다.
② 물품 대금은 나중에 예치금에서 자동으로 결재된다.
③ 예산을 대충 걷잡아서 말하지 말고 잘 뽑아 보세요.
④ 행운이 가득하기를 기원하는 것으로 치사를 가름합니다.

## 02

밑줄 친 단어의 쓰임이 옳지 않은 것은?

① 그들은 신에게 제물을 바쳐 부락의 안녕을 빌었다.
② 횡단보도 앞에서 신호를 기다리던 아이가 승용차에 받쳐 크게 다쳤다.
③ 아침에 먹은 것이 자꾸 받쳐서 아무래도 점심은 굶어야겠다.
④ 사공은 신부에게 빨리 뛰어내리라고 짜증 어린 성화를 바쳤다.
⑤ 고추가 워낙 값이 없어서 백 근을 시장 상인에게 받혀도 변변한 옷 한 벌 사기가 힘들다.

## 03

밑줄 친 어휘 중 잘못 쓰인 것으로만 묶은 것은?

어쩔 수 없는 상황이었지만 혼자 낯선 이의 집에서 숙식을 ㉠붙인다는 것은 분명 힘에 ㉡부치는 일로 보였다. 오늘은 측은한 마음에 말을 ㉢붙여 보았지만, 아무 대답 없이 아버지에게 편지를 보내려고 우표를 ㉣부치고 있을 뿐이었다. ㉤붙여 먹을 땅 한 평 없던 아버지일지라도 그 아이가 유일하게 정을 ㉥붙였던 사람이라는 것을 알 수 있었다.

① ㉠, ㉢, ㉥         ② ㉠, ㉣, ㉤
③ ㉡, ㉢, ㉤         ④ ㉡, ㉣, ㉥

## 04

㉠~㉢에 들어갈 말로 가장 적절한 것은?

○ 외래문화의 무분별한 수입은 가치관의 ( ㉠ )을 초래하였다.
○ 지역 간, 세대 간의 갈등을 ( ㉡ )하고 희망찬 미래로 나아갑시다.
○ 아름다운 자연을 관광 자원으로 ( ㉢ )하려고 한다.

| | ㉠ | ㉡ | ㉢ |
|---|---|---|---|
| ① | 혼돈 | 지양 | 개발 |
| ② | 혼돈 | 지향 | 계발 |
| ③ | 혼동 | 지양 | 개발 |
| ④ | 혼동 | 지향 | 계발 |

## 01　　　　　　　　　　　　　　　　　　난이도 ★★☆

**해설** ① 하노라고(○): '자기 나름대로 꽤 노력했음'을 나타낼 때에는 연결 어미 '-노라고'를 쓴다.

**오답분석** ② 결재된다(×) → 결제된다(○): '증권 또는 대금을 주고받아 매매 당사자 사이의 거래 관계를 끝맺다'라는 뜻을 나타낼 때는 '결제되다'를 쓴다.
　• 결재하다: 결정할 권한이 있는 상관이 부하가 제출한 안건을 검토하여 허가하거나 승인하다.

③ 걷잡아서(×) → 겉잡아서(○): '겉으로 보고 대강 짐작하여 헤아리다'라는 뜻을 나타낼 때는 '겉잡다'를 쓴다.
　• 걷잡다: 한 방향으로 치우쳐 흘러가는 형세 등을 붙들어 잡다.

④ 가름합니다(×) → 갈음합니다(○): '다른 것으로 바꾸어 대신하다'라는 뜻을 나타낼 때는 '갈음하다'를 쓴다.
　• 가름하다: 쪼개거나 나누어 따로따로 되게 하다.

**이것도 알면 합격**
'결제'와 '결재'의 의미를 알아두자.

| 결제<br>(決濟) | 1. 일을 처리하여 끝냄<br>2. 증권 또는 대금을 주고받아 매매 당사자 사이의 거래 관계를 끝맺는 일<br>예 어음의 결제 |
|---|---|
| 결재<br>(決裁) | 결정한 권한이 있는 상관이 부하가 제출한 안건을 검토하여 허가하거나 승인함<br>예 결재 서류 |

## 02　　　　　　　　　　　　　　　　　　난이도 ★☆☆

**해설** ② 승용차에 받쳐(×) → 승용차에 받혀(○): 문맥상 '머리나 뿔 등에 세차게 부딪히다'라는 의미의 '받히다'를 써야 하므로 답은 ②이다.

**오답분석** ① 제물을 바쳐(○): 이때 '바치다'는 '신이나 웃어른에게 정중하게 드리다'라는 의미로 쓰였다.

③ 아침에 먹은 것이 자꾸 받쳐서(○): 이때 '받치다'는 '먹은 것이 잘 소화되지 않고 위로 치밀다'라는 의미로 쓰였다.

④ 성화를 바쳤다(○): 이때 '바치다'는 '무엇을 지나칠 정도로 바라거나 요구하다'라는 의미로 쓰였다.

⑤ 시장 상인에게 받혀도(○): 이때 '받히다'는 '한꺼번에 많은 양의 물품을 사게 하다'라는 의미로 쓰였다.

## 03　　　　　　　　　　　　　　　　　　난이도 ★★☆

**해설** ② 밑줄 친 어휘 중 잘못 쓰인 것으로만 묶은 것은 ⊙ⓔⓗ이다.
　• ⊙ 붙인다(×) → 부친다(○): 문맥상 '먹고 자는 일을 제집이 아닌 다른 곳에서 하다'를 뜻하는 '부치다'를 써야 한다.
　• ⓔ 부치고(×) → 붙이고(○): 문맥상 '맞닿아 떨어지지 않게 하다'를 뜻하는 '붙이다'를 써야 한다.
　• ⓗ 붙여(×) → 부쳐(○): 문맥상 '논밭을 이용하여 농사를 짓다'를 뜻하는 '부치다'를 써야 한다.

**오답분석** • ⓛ 부치는(○): 문맥상 '모자라거나 미치지 못하다'를 뜻하는 '부치다'가 올바르게 쓰였다.

• ⓒ 붙여(○): 문맥상 '말을 걸거나 치근대며 가까이 다가서다'를 뜻하는 '붙이다'가 올바르게 쓰였다.

• ⓑ 붙였던(○): 문맥상 '어떤 감정이나 감각을 생기게 하다'를 뜻하는 '붙이다'가 올바르게 쓰였다.

## 04　　　　　　　　　　　　　　　　　　난이도 ★★☆

**해설** ① ⊙~ⓒ에 들어갈 어휘로 적절한 것은 '혼돈 - 지양 - 개발'이므로 답은 ①이다.
　• 혼돈(混沌/渾沌): 마구 뒤섞여 있어 갈피를 잡을 수 없음. 또는 그런 상태
　• 지양(止揚): 더 높은 단계로 오르기 위하여 어떠한 것을 하지 않음
　• 개발(開發): 토지나 천연자원 등을 유용하게 만듦

**오답분석** • ⊙ 혼동(混同): 1. 구별하지 못하고 뒤섞어서 생각함 2. 서로 뒤섞여 하나가 됨

• ⓛ 지향(志向): 어떤 목표로 뜻이 쏠리어 향함. 또는 그 방향이나 그쪽으로 쏠리는 의지

• ⓒ 계발(啓發): 슬기나 재능, 사상 등을 일깨워 줌

## 05

[2017년 국가직 9급 (10월)]

**밑줄 친 단어의 쓰임이 옳지 않은 것은?**

① 금방 비가 올 것처럼 하늘이 어둡다.
   할머니는 방금 전에 난 소리에 깜짝 놀라셨다.

② 그는 근본이 미천하여 남들의 업신여김을 받았다.
   자발적 참여자를 근간으로 하여 조직이 결성되었다.

③ 친구들에게 그는 완전히 타락한 사람으로 알려졌다.
   그는 역모 사건에 휘말려 몰락한 집안의 자손이었다.

④ 비가 올 때에는 순회공연을 지연하기로 하였다.
   시험 시작 날짜가 9월 5일에서 9월 7일로 연장되었다.

## 06

[2017년 국가직 9급 (10월)]

**밑줄 친 부분의 쓰임이 모두 옳은 것은?**

① 일이 채 끝나기도 전에 그는 일어나 나갔다.
   그는 여전히 들은 체도 하지 않고 앉아 있다.

② 가을 논의 벼가 한참 무르익고 있었다.
   그는 가방을 한창 바라보더니 가 버렸다.

③ 둘 사이는 친분이 두껍다.
   우리나라의 야구 선수층은 매우 두텁다.

④ 나이가 들어 머리가 많이 벗겨졌다.
   바나나 껍질이 잘 벗어지지 않았다.

## 07

[2016년 사회복지직 9급]

**밑줄 친 단어의 쓰임이 옳은 것은?**

① 요즘 앞산에는 진달래가 한참이다.

② 과장님, 김 주사의 기획안을 결제해 주세요.

③ 민철이는 어릴 때 일찍 아버지를 여위었다.

④ '가물에 콩 나듯'이라더니 제대로 싹이 난 것이 없다.

## 08

[2015년 사회복지직 9급]

**밑줄 친 단어의 사용이 옳지 않은 것은?**

① 이젠 집안을 아주 결판을 내려고 하는군.

② 일이 꺼림칙하게 되어 가더니만 결국 사달이 났다.

③ 그 총각은 폭넓은 교양과 전문적인 지식을 갖춘 재원이다.

④ 교사는 학생의 잠재된 창의성이 계발되도록 충분한 기회를 주어야 한다.

## 09

[2015년 사회복지직 9급]

**밑줄 친 어휘의 쓰임이 옳은 것만을 모두 고른 것은?**

| |
|---|
| ㄱ. 꼬마들에게는 주사를 맞추기가 힘들다. |
| ㄴ. 수수께끼에 대한 답을 정확하게 맞추면 상품을 드립니다. |
| ㄷ. 할아버지는 할머니를 소박을 맞히고 나서 두고두고 후회하셨다. |
| ㄹ. 여자 친구와 다음 주 일정을 맞춰 보았더니 목요일에만 만날 수 있을 것 같다. |

① ㄱ, ㄴ        ② ㄱ, ㄷ

③ ㄴ, ㄹ        ④ ㄷ, ㄹ

## 05

난이도 ★☆☆

**해설** ④ 밑줄 친 단어의 쓰임이 옳지 않은 것은 ④이다.
- 지연하기(×) → 취소하기, 연기하기(○): 문맥상 비가 올 때 순회공연을 하지 않거나 미룬다는 의미로 쓰였음을 알 수 있으므로, '발표한 의사를 거두어들이거나 예정된 일을 없애 버리다'를 뜻하는 '취소하다' 또는 '정해진 기한을 뒤로 물려서 늘리다'를 뜻하는 '연기하다'를 쓰는 것이 적절하다. '지연하다'는 '무슨 일을 더디게 끌어 시간을 늦추다'를 뜻하므로 어휘의 쓰임이 자연스럽지 않다.
- 연장되었다(×) → 연기되었다(○): '정해진 기한이 뒤로 물려져서 늘려지다'를 뜻하는 '연기되다'를 쓰는 것이 문맥상 적절하다. '연장되다'는 '시간이나 거리 등이 본래보다 길게 늘어나다'를 뜻하여 시험 날짜가 늦춰졌다는 내용과 어울리지 않는다.

**오답분석**
① • 금방: 말하고 있는 시점과 같은 때에
- 방금: 말하고 있는 시점보다 바로 조금 전
② • 근본: 자라 온 환경이나 혈통
- 근간: 사물의 바탕이나 중심이 되는 중요한 것
③ • 타락하다: 올바른 길에서 벗어나 잘못된 길로 빠지다.
- 몰락하다: 재물이나 세력 등이 쇠하여 보잘것없어지다.

## 06

난이도 ★☆☆

**해설** ① '이미 있는 상태 그대로 있다'라는 뜻을 나타내는 말인 '채'와 '그럴듯하게 꾸미는 거짓 태도나 모양'을 뜻하는 말인 '체'의 쓰임이 모두 옳으므로 답은 ①이다.

**오답분석**
② • 벼가 한참 무르익고(×) → 벼가 한창 무르익고(○): '어떤 일이 가장 활기 있고 왕성하게 일어나는 모양. 또는 어떤 상태가 가장 무르익은 모양'을 뜻할 때는 '한창'을 써야 한다.
- 가방을 한창 바라보더니(×) → 가방을 한참 바라보더니(○): '시간이 상당히 지나는 동안'을 뜻할 때는 '한참'을 써야 한다.
③ • 친분이 두껍다(×) → 친분이 두텁다(○): '신의, 믿음, 관계, 인정 등이 굳고 깊다'를 뜻할 때는 '두텁다'를 써야 한다.
- 선수층은 매우 두텁다(×) → 선수층은 매우 두껍다(○): '층을 이루는 사물의 높이나 집단의 규모가 보통의 정도보다 크다'를 뜻할 때는 '두껍다'를 써야 한다.
④ • 머리가 많이 벗겨졌다(×) → 머리가 많이 벗어졌다(○): '머리카락이나 몸의 털 등이 빠지다'를 뜻할 때는 '벗어지다'를 써야 한다.
- 바나나 껍질이 잘 벗어지지(×) → 바나나 껍질이 잘 벗겨지지(○): '가죽이나 껍질 등을 떼어 내다'를 뜻할 때는 '벗기다'를 써야 한다.

## 07

난이도 ★★☆

**해설** ④ 가물(○): '오랫동안 계속하여 비가 내리지 않아 메마른 날씨'를 뜻하는 '가물'을 썼으므로 ④는 단어의 쓰임이 옳다. 참고로 '가물'은 '가뭄'과 동의어이다.

**오답분석**
① 한참(×) → 한창(○): 문맥상 '어떤 일이 가장 활기 있고 왕성하게 일어나는 때. 또는 어떤 상태가 가장 무르익은 때'를 뜻하는 '한창'을 써야 한다.
- 한참: 시간이 상당히 지나는 동안
② 결제(×) → 결재(○): 문맥상 '결정할 권한이 있는 상관이 부하가 제출한 안건을 검토하여 허가하거나 승인함'을 뜻하는 '결재(決裁)'를 써야 한다.
- 결제(決濟): 증권 또는 대금을 주고받아 매매 당사자 사이의 거래 관계를 끝맺는 일
③ 여위었다(×) → 여의었다(○): 문맥상 '부모나 사랑하는 사람이 죽어서 이별하다'를 뜻하는 '여의다'를 써야 한다.
- 여위다: 몸의 살이 빠져 파리하게 되다.

## 08

난이도 ★★☆

**해설** ③ 재원(才媛: 재주 재, 여자 원)(×) → 재자(才子: 재주 재, 아들 자)(○): '재원'은 '재주가 뛰어난 젊은 여자'를 뜻하므로 '총각'을 가리키는 말로 사용하는 것은 옳지 않다. ③의 '재원'은 '재주가 뛰어난 젊은 남자'를 뜻하는 '재자'로 고쳐 써야 한다.

**오답분석**
① 결딴: 살림이 망하여 거덜 난 상태
② 사달: 사고나 탈
④ 계발(啓發: 열 계, 필 발): 슬기, 재능 등을 일깨워 줌

## 09

난이도 ★★☆

**해설** ④ 어휘의 쓰임이 옳은 것만으로 묶인 것은 ㄷ, ㄹ이므로 답은 ④이다.
- ㄷ. 맞히고(○): '어떤 좋지 않은 일을 당하게 하다'를 뜻하는 어휘는 '맞히다'이다.
- ㄹ. 맞춰(○): '둘 이상의 일정한 대상들을 나란히 놓고 비교하여 살피다'를 뜻하는 어휘는 '맞추다'이다.

**오답분석**
- ㄱ. 맞추기(×) → 맞히기(○): '주사를 맞히다/침을 맞히다'의 경우 '침, 주사 등으로 치료를 받게 하다'를 뜻하는 '맞히다'를 써야 한다.
- ㄴ. 맞추면(×) → 맞히면(○): '답을 맞히다'의 경우 문제에 대한 답을 틀리지 않게 하다'를 뜻하는 '맞히다'를 써야 한다.

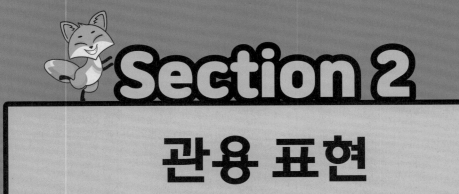

# Section 2

# 관용 표현

**1분** 만에 파악하는 **7개년 기출 트렌드**

## ● Section별 출제율
최근 7개년(2015~2021년) 국가직/지방직/서울시 7·9급

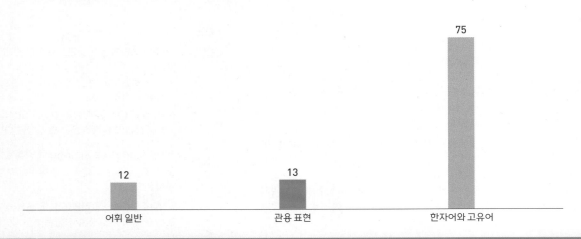

| | | |
|---|---|---|
| 12 | 13 | 75 |
| 어휘 일반 | 관용 표현 | 한자어와 고유어 |

● **Section 기출 트렌드**

• 관용 표현은 출제 비중은 낮지만 자주 다른 영역과 혼합되어 출제되는 Section입니다.

• 관용구나 속담의 뜻풀이를 묻는 문제가 주로 출제되며, 한자 성어나 문학 작품과 연관지어 출제되기도 합니다.

• 관용구나 속담은 뜻을 정확하게 알지 못하더라도 문맥에 따라 그 의미를 유추하여 어울리는 어휘를 선택할 수 있어야 합니다. 따라서 매일 일정한 분량의 관용구와 속담을 익히고 꾸준히 기출문제를 풀어 보아야 합니다.

## 01

[2021년 지방직 9급]

밑줄 친 부분과 바꿔 쓸 수 있는 관용 표현으로 적절하지 않은 것은?

① 몹시 가난한 형편에 누구를 돕겠느냐? – 가랑이가 찢어질
② 그가 중간에서 연결해 주어 물건을 쉽게 팔았다. – 호흡을 맞춰
③ 그는 상대편을 보고는 속으로 깔보며 비웃었다. – 코웃음을 쳤다
④ 주인의 말에 넘어가 실제보다 비싸게 이 물건을 샀다. – 바가지를 쓰고

## 02

[2020년 국회직 8급]

밑줄 친 관용 표현의 쓰임이 옳지 않은 것은?

① 그녀는 바쁘다는 말이 입에 붙었다.
② 그는 입이 되어 무엇이든 잘 먹는다.
③ 저 아이가 저렇게 마른 것은 다 입이 밭기 때문이지.
④ 그녀는 야무지게 생긴 얼굴 못지않게 입이 여물어 함께 일하기에 편하다.
⑤ 좋은 사람으로 비쳤던 김 씨가 사실 엄청난 사기꾼이었다는 말을 듣고 모두들 입이 썼다.

## 03

[2017년 지방직 7급]

밑줄 친 관용어의 사용이 적절하지 않은 것은?

① 저 친구는 입이 높아 일반 음식은 먹지 않아.
② 그는 입이 뜨고 과묵한 사람이다.
③ 입 아래 코라고 일의 순서가 바뀌었어.
④ 사람이 저렇게 입이 진 것을 보니 교양이 있겠구나.

## 04

[2017년 사회복지직 9급]

밑줄 친 표현의 뜻풀이가 옳지 않은 것은?

① 그 사람은 입이 밭아서 입맛 맞추기가 어렵다.
   – 음식을 심하게 가리거나 적게 먹다.
② 입이 거친 그를 흰 눈으로 보는 것은 당연한 일이다.
   – 업신여기거나 못마땅하게 여기다.
③ 이번 일은 네가 허방 짚은 격이다.
   – 잘못 알거나 잘못 예산하여 실패하다.
④ 새참 동안 땀을 들인 후 다시 일을 시작했다.
   – 땀을 일부러 많이 내서 피곤을 풀다.

## 05

[2016년 지방직 7급]

밑줄 친 관용구가 적절하게 쓰인 것으로만 묶은 것은?

> ㄱ. 그는 복권에 당첨되어 요즘 배가 등에 붙었다.
> ㄴ. 그 사람은 고지식해서 입에 발린 소리를 못한다.
> ㄷ. 그녀는 군대에 간 아들이 눈에 밟혀 잠을 못 잔다.
> ㄹ. 우리 엄마는 손이 떠서 일 처리가 빠르시다.

① ㄱ, ㄴ      ② ㄱ, ㄷ
③ ㄴ, ㄷ      ④ ㄴ, ㄹ

## 06

[2015년 서울시 7급]

다음의 밑줄 친 부분은 두 개의 낱말로 구성되어 있다. 각각의 낱말이 가지고 있는 본래의 의미 이상을 지녔다고 볼 수 없는 것은?

① 남이 말하는데 곁다리 들지 마!
② 길눈이 밝아서 어디든 잘 찾아 간다.
③ 그간의 노력으로 회사의 틀을 잡아 놓았다고 볼 수 있다.
④ 청년의 입에 거품이 일고 네 활개가 뒤틀리고 있었다.

## 01
난이도 ★☆☆

**해설** ② 관용구 '호흡을 맞추다'는 '일을 할 때 서로의 행동이나 의향을 잘 알고 처리하여 나가다'를 뜻하므로 둘 이상의 대상을 서로 잇거나 관계를 맺게 해 준다는 의미의 밑줄 친 부분과 바꾸어 쓸 수 없다. 참고로 밑줄 친 부분과 바꿔 쓸 수 있는 관용 표현으로 적절한 말은 '다리를 놓다'이다.
 • 다리(를) 놓다: 일이 잘되게 하기 위하여 둘 또는 여럿을 연결하다.

**오답분석** ① 가랑이(가) 찢어지다: 몹시 가난한 살림살이를 비유적으로 이르는 말
③ 코웃음(을) 치다: 남을 깔보고 비웃다.
④ 바가지(를) 쓰다: 요금이나 물건값을 실제 가격보다 비싸게 지불하여 억울한 손해를 보다.

## 02
난이도 ★★☆

**해설** ② '입이 되다'는 '맛있는 음식만 먹으려고 하는 버릇이 있어 음식에 매우 까다롭다'라는 뜻으로, 문맥상 무엇이든 잘 먹는다는 ②의 내용과 어울리지 않는다.

**오답분석** ① 입에 붙다: 아주 익숙하여 버릇이 되다.
③ 입이 밭다: 음식을 심하게 가리거나 적게 먹다.
④ 입이 여물다: 말이 분명하고 실속이 있다.
⑤ 입이 쓰다: 어떤 일이나 말 등이 못마땅하여 기분이 언짢다.

## 03
난이도 ★★☆

**해설** ④ '입이 질다'는 '속된 말씨로 거리낌 없이 말을 함부로 하다' 또는 '말을 수다스럽게 많이 하는 버릇이 있다'를 뜻하므로 문맥상 교양이 있다는 내용과 어울리지 않는다. 따라서 관용어의 사용이 적절하지 않은 것은 ④이다.

**오답분석** ① 입이 높다: '보통 음식으로 만족하지 않고 맛있고 좋은 음식만을 바라는 버릇이 있다'라는 뜻의 관용어이다.
② 입이 뜨다: '입이 무겁거나 하여 말수가 적다'라는 뜻의 관용어이다.
③ 입 아래 코: 일의 순서가 바뀐 경우를 비유적으로 이르는 속담이다.

## 04
난이도 ★★☆

**해설** ④ '땀을 들이다'는 '몸을 시원하게 하여 땀을 없애다' 또는 '잠시 휴식하다'를 뜻하므로 ④의 뜻풀이는 옳지 않다.

**오답분석** ① 입이 밭다[짧다]: 음식을 심하게 가리거나 적게 먹다.
② 흰 눈으로 보다: 업신여기거나 못마땅하게 여기다.
③ 허방(을) 짚다: 1. 발을 잘못 디디어 허방에 빠지다. 2. 잘못 알거나 잘못 예산하여 실패하다.

## 05
난이도 ★★☆

**해설** ③ 관용구가 적절하게 쓰인 문장은 ㄴ, ㄷ이므로 답은 ③이다.
 • ㄴ. 입에 발린 소리: 마음에도 없이 겉치레로 하는 말
 • ㄷ. 눈에 밟히다: 잊히지 않고 자꾸 눈에 떠오르다.

**오답분석** • ㄱ. '배가 등에 붙다'는 '먹은 것이 없어서 배가 홀쭉하고 몹시 허기지다'를 뜻하므로 복권에 당첨되었다는 내용과 어울리지 않는다.
 • ㄹ. '손이 뜨다'는 '일하는 동작이 매우 굼뜨다'를 뜻하므로 일 처리가 빠르다는 내용과 어울리지 않는다.

## 06
난이도 ★★☆

**해설** ④ '활개가 뒤틀리고'는 '활개'와 '뒤틀리다'가 지닌 본래의 의미로 뜻을 파악할 수 있으므로, 각각의 낱말이 가지고 있는 본래의 의미 이상을 지닌 관용 표현이 아니다.
 • 활개: 사람의 어깨에서 팔까지 또는 궁둥이에서 다리까지의 양쪽 부분
 • 뒤틀리다: 꼬인 것처럼 몹시 비틀리다.

**오답분석** ① 곁다리(를) 들다: 당사자가 아닌 사람이 참견하여 말하다.
 • 곁다리: 1. 부수적인 것 2. 당사자가 아닌 주변의 사람
② 길눈이 밝다: 한두 번 가 본 길을 잊지 않고 찾아갈 만큼 길을 잘 기억하다.
 • 길눈: 한 번 가 본 길을 잘 익혀 두어 기억하는 눈썰미
③ 틀을 잡다: 일정한 형태나 구성을 갖추다.
 • 틀: 골이나 판처럼 물건을 만드는 데 본이 되는 물건

## 01

[2021년 국가직 9급]

㉠에 들어갈 말로 가장 적절한 것은?

> 한 민족이 지닌 문화재는 그 민족 역사의 누적일 뿐 아니라 그 누적된 민족사의 정수로서 이루어진 혼의 상징이니, 진실로 살아 있는 민족적 신상(神像)은 이를 두고 달리 없을 것이다. 더구나 국보로 선정된 문화재는 우리 민족의 성력(誠力)과 정혼(精魂)의 결정으로 그 우수한 질과 희귀한 양에서 무비(無比)의 보(寶)가 된 자이다. 그러므로 국보 문화재는 곧 민족 전체의 것이요, 민족을 결속하는 정신적 유대로서 민족의 힘의 원천이라 할 것이다.
> 로마는 하루아침에 만들어지지 않는다는 말도 그 과거 문화의 존귀함을 말하는 것이요, (        ㉠        )는 말도 국보 문화재가 얼마나 힘 있는가를 밝힌 예증이 된다.

① 구르는 돌에는 이끼가 끼지 않는다.

② 지식은 나눌 수 있지만 지혜는 나눌 수 없다.

③ 사람은 겪어 보아야 알고 물은 건너 보아야 안다.

④ 그 무엇을 내놓는다고 해도 셰익스피어와는 바꾸지 않는다.

## 02

[2020년 군무원 7급]

속담의 뜻을 잘못 풀이한 것은?

① 남의 말이라면 쌍지팡이 짚고 나선다. → 남의 허물에 대해서 시비하기를 좋아한다.

② 말 안 하면 귀신도 모른다. → 마음속으로만 애태울 것이 아니라 시원스럽게 말을 하여야 한다.

③ 말 같지 않은 말은 귀가 없다. → 이치에 맞지 않은 말은 널리 퍼진다.

④ 남의 말도 석 달 → 소문은 시일이 지나면 흐지부지 없어지고 만다.

## 03

[2019년 국회직 8급]

'먹다'가 들어간 속담의 의미에 대한 설명으로 옳지 않은 것은?

① 꿩 구워 먹은 자리: 어떠한 일의 흔적이 전혀 없음을 비유적으로 이르는 말

② 소금 먹은 놈이 물켠다: 무슨 일이든 반드시 그렇게 된 까닭이 있다는 말

③ 먹던 술도 떨어진다: 매사에 조심하여 잘못이 없도록 하라는 말

④ 먹는 데는 관발이요 일에는 송곳이라: 제 이익이 되는 일 특히 먹는 일에는 남보다 먼저 덤비나, 일할 때는 꽁무니만 뺀다는 말

⑤ 노루 때린 막대기 세 번이나 국 끓여 먹는다: 어떤 일을 성공하기 위해서는 반복해야 한다는 것을 강조하는 말

## 04

[2018년 서울시 9급 (6월)]

'권력의 무상함'을 나타내는 속담으로 가장 옳지 않은 것은?

① 달도 차면 기운다.

② 열흘 붉은 꽃이 없다.

③ 물도 가다 구비를 친다.

④ 꽃이 시들면 오던 나비도 안 온다.

속담

관용어 43% ─────────────── 57%

## 01
난이도 ★★☆

해설 ④ 1문단에서 국보 문화재는 민족 전체의 것이자 민족을 결속하는 정신적 유대로 민족의 힘의 원천이라는 것을 밝히고 있다. ㉠이 포함된 문장에서 이를 한 번 더 강조하고 있으므로 문화적 가치가 민족적으로 큰 의미를 지닌다는 것을 뜻하는 ④가 ㉠에 들어갈 말로 가장 적절하다.
- 그 무엇을 내놓는다고 해도 셰익스피어와는 바꾸지 않는다: '영국 민족은 어떤 것을 가져오더라도 셰익스피어와 바꾸지 않는다'라는 뜻으로, 영국 민족에게 있어서는 셰익스피어와 그가 남긴 문화적인 가치가 다른 어떠한 가치보다 중요하다는 것을 의미한다.

오답분석 ① 구르는 돌에는 이끼가 끼지 않는다: 부지런하고 꾸준히 노력하는 사람은 침체되지 않고 계속 발전한다는 말
② 지식은 나눌 수 있지만 지혜는 나눌 수 없다: '배움을 통해서 얻는 지식은 쉽게 전달될 수 있지만 스스로 깨달아야 하는 지혜는 쉽게 터득할 수 없다'라는 뜻으로, 지혜의 중요성을 강조하는 말
③ 사람은 겪어 보아야 알고 물은 건너 보아야 안다: 사람은 겉만 보고는 알 수 없으며, 서로 오래 겪어 보아야 알 수 있음을 이르는 말

## 02
난이도 ★★☆

해설 ③ '말 같지 않은 말은 귀가 없다'는 '이치에 맞지 않은 말은 못 들은 척한다'라는 뜻이므로 속담의 뜻을 잘못 풀이한 것은 ③이다.

## 03
난이도 ★★☆

해설 ⑤ '노루 때린 막대기 세 번이나 국 끓여 먹는다'는 '조금이라도 이용 가치가 있을까 하여 보잘것없는 것을 두고두고 되풀이하여 이용함'을 비유적으로 이르는 말이므로 속담의 의미가 옳지 않은 것은 ⑤이다.

## 04
난이도 ★★☆

해설 ③ '권력의 무상함'을 나타내는 속담으로 가장 옳지 않은 것은 ③이다.
- 물도 가다 구비를 친다: 사람의 한평생에는 전환기가 있기 마련이라는 말

오답분석 ①②④는 모두 '권력의 무상함'을 나타내는 속담이다.
① 달도 차면 기운다: 세상의 온갖 것이 한번 번성하면 다시 쇠하기 마련이라는 말
② 열흘 붉은 꽃이 없다: 부귀영화란 일시적인 것이어서 그 한때가 지나면 그만임을 비유적으로 이르는 말
④ 꽃이 시들면 오던 나비도 안 온다: 사람이 세도가 좋을 때는 늘 찾아오다가 그 처지가 보잘것없게 되면 찾아오지 않음을 비유적으로 이르는 말

## 05

[2017년 서울시 9급]

다음 〈보기〉의 속담과 가장 관련이 깊은 말은?

───── 〈보기〉 ─────
㉠ 가물에 도랑 친다
㉡ 까마귀 미역 감듯

① 헛수고                    ② 분주함
③ 성급함                    ④ 뒷고생

## 06

[2016년 지방직 9급]

제시된 의미와 가장 가까운 속담은?

가난한 사람이 남에게 업신여김을 당하기 싫어서 허세를 부리려는 심리를 비유적으로 이르는 말

① 가난한 집 신주 굶듯
② 가난한 집에 자식이 많다
③ 가난할수록 기와집 짓는다
④ 가난한 집 제사 돌아오듯

## 07

[2015년 지방직 9급]

다음과 같은 뜻의 속담은?

임시변통은 될지 모르나 그 효력이 오래가지 못할 뿐만 아니라 결국에는 사태가 더 나빠진다는 것을 말한다.

① 빈대 잡으려다 초가삼간 태운다.
② 언 발에 오줌 누기
③ 여름 불도 쬐다 나면 서운하다.
④ 밑 빠진 독에 물 붓기

## 08

[2015년 서울시 9급]

다음 중 〈보기〉의 뜻으로 옳은 것은?

───── 〈보기〉 ─────
털을 뽑아 신을 삼는다.

① 힘든 일을 억지로 함
② 자신의 온 정성을 다하여 은혜를 꼭 갚음
③ 모든 물건은 순리대로 가꾸고 다루어야 함
④ 사리를 돌보지 아니하고 남의 것을 통으로 먹으려 함

## 05 　　　　　　　　　　　　　난이도 ★☆☆

**해설** ① 〈보기〉의 속담은 모두 '보람이 없는 일'을 뜻하므로, 이와 가장 관련이 깊은 말은 ① '헛수고'이다.
- ㉠ 가물에 도랑 친다: '한창 가물 때 애쓰며 도랑을 치느라고 분주하게 군다'라는 뜻으로, 아무 보람도 없는 헛된 일을 하느라고 부산스레 굶을 비유적으로 이르는 말
- ㉡ 까마귀 미역 감듯: 까마귀는 미역을 감아도 그냥 검다는 데서, 일한 자취나 보람이 드러나지 않음을 비유적으로 이르는 말

## 06 　　　　　　　　　　　　　난이도 ★☆☆

**해설** ③ 제시된 문장은 '당장 먹을 것이나 입을 것이 넉넉지 못한 가난한 살림일수록 기와집을 짓는다'라는 뜻을 지닌 속담 '가난할수록 기와집 짓는다'의 뜻풀이이므로, 답은 ③이다.

**오답분석**
① 가난한 집 신주 굶듯: '가난한 집에서는 산 사람도 배를 굶는 형편이므로 신주까지도 제사 음식을 제대로 받아 보지 못하게 된다'라는 뜻으로, 줄곧 굶기만 한다는 말
② 가난한 집에 자식이 많다: '가난한 집에는 먹고 살아 나갈 걱정이 큰데 자식까지 많다'라는 뜻으로, 이래저래 부담되는 것이 많음을 이르는 말
④ 가난한 집 제사 돌아오듯: '살아가기도 어려운 가난한 집에 제삿날이 자꾸 돌아와서 그것을 치르느라 매우 어려움을 겪는다'라는 뜻으로, 힘든 일이 자주 닥쳐옴을 비유적으로 이르는 말

## 07 　　　　　　　　　　　　　난이도 ★☆☆

**해설** ② 제시된 내용은 '언 발에 오줌 누기'의 뜻풀이이므로 답은 ②이다.

**오답분석**
① 빈대 잡으려다 초가삼간 태운다: 손해를 크게 볼 것을 생각지 않고 자기에게 마땅치 않은 것을 없애려고 그저 덤비기만 하는 경우를 비유적으로 이르는 말
③ 여름 불도 쬐다 나면 서운하다: 1. 당장에 쓸데없거나 대단치 않게 생각되던 것도 막상 없어진 뒤에는 아쉽게 생각된다는 말 2. 오랫동안 해 오던 일을 그만두기는 퍽 어렵다는 말
④ 밑 빠진 독에 물 붓기: '밑 빠진 독에 아무리 물을 부어도 독이 채워질 수 없다'라는 뜻으로, 아무리 힘이나 밑천을 들여도 보람 없이 헛된 일이 되는 상태를 비유적으로 이르는 말.

## 08 　　　　　　　　　　　　　난이도 ★★☆

**해설** ② '털을 뽑아 신을 삼는다'는 ② '자신의 온 정성을 다하여 은혜를 꼭 갚음'을 뜻한다.

**오답분석**
④ '사리를 돌보지 아니하고 남의 것을 통으로 먹으려 함'은 '털도 안 뜯고 먹겠다 한다'의 뜻이다.

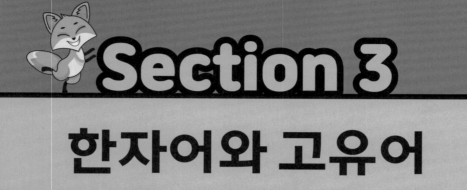

# Section 3
# 한자어와 고유어

## ● Section별 출제율
최근 7개년(2015~2021년) 국가직/지방직/서울시 7·9급

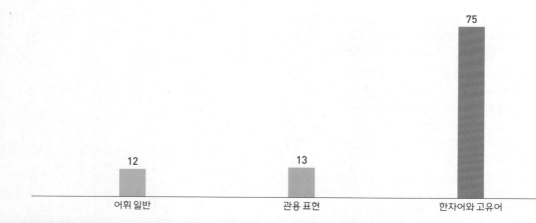

| 어휘 일반 | 관용 표현 | 한자어와 고유어 |
|---|---|---|
| 12 | 13 | 75 |

## ● Section 기출 트렌드

• 한자어와 고유어는 어휘 영역에서 가장 많이 출제되는 Section으로 최근 공무원 국어 시험에서 1~2문제씩 꾸준히 출제되고 있습니다.

• 주로 한자 성어와 한자어의 의미나 표기에 대해 묻는 문제가 출제되며, 문학 작품이나 비문학 지문과 연계하여 출제되기도 합니다.

• 한자 성어와 한자어는 시험에 나왔던 어휘가 다시 출제되는 경향이 있으므로 기출문제 풀이를 통해 기출 어휘부터 학습한 뒤 예상 어휘를 학습하여 빈틈없이 준비해야 합니다. 고유어는 문학 작품과 함께 출제되기도 하므로 문맥에 맞는 어휘를 고르거나 뜻풀이를 유추하는 연습을 해야 합니다.

## 01

고사성어의 쓰임이 적절하지 않은 것은?

① 그는 전후 상황을 不問曲直하고 나를 보자마자 대뜸 멱살을 잡았다.

② 임꺽정이 이야기를 나도 많이 듣긴 들었네만 道聽塗說을 준신할 수 있나?

③ 날이 갈수록 예의를 모르는 후배들이 점점 많아져 後生可畏라는 말을 실감하게 된다.

④ 덕으로써 사람을 따르게 하지 않고 힘으로써 사람을 따르게 하면 자연히 面從腹背하는 자가 생기기 마련이다.

## 02

유사한 의미로 사용할 수 있는 사자성어가 연결된 것으로 가장 옳은 것은?

① 경국지색(傾國之色) - 경중미인(鏡中美人)

② 지록위마(指鹿爲馬) - 지란지화(芝蘭之化)

③ 목불식정(目不識丁) - 목불인견(目不忍見)

④ 폐의파관(敝衣破冠) - 폐포파립(敝袍破笠)

## 03

다음에 서술된 A사의 상황을 가장 적절하게 표현한 한자 성어는?

> 최근 출시된 A사의 신제품이 뜨거운 호응을 얻고 있다. 이번 신제품의 성공으로 A사는 B사에게 내주었던 업계 1위 자리를 탈환했다.

① 兎死狗烹　　　② 捲土重來

③ 手不釋卷　　　④ 我田引水

## 04

밑줄 친 단어가 바르게 쓰인 것은?

① 그는 평생 호의호식을 하며 지냈다.

② 그는 환골탈퇴의 자세로 새 일에 임했다.

③ 부모님은 주야장창으로 자식 걱정뿐이다.

④ 산수갑산을 가는 한이 있어도 그 일은 꼭 하고 싶다.

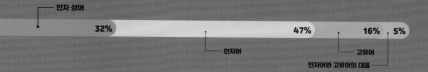

한자 성어

32%  47%  16%  5%

한자어

고유어

한자어와 고유어의 대응

## 01

난이도 ★★☆

해설 ③ '後生可畏(후생가외)'는 '날이 갈수록 예의를 모르는 후배들이 점점 많아지다'라는 선택지의 내용과 의미가 통하지 않으므로 쓰임이 적절하지 않다.
- 後生可畏(후생가외): '젊은 후학들을 두려워할 만하다'라는 뜻으로, 후진들이 선배들보다 젊고 기력이 좋아, 학문을 닦음에 따라 큰 인물이 될 수 있으므로 가히 두렵다는 말

오답분석 ① 不問曲直(불문곡직): 옳고 그름을 따지지 않음
② 道聽塗說(도청도설): '길에서 듣고 길에서 말한다'라는 뜻으로, 길거리에 퍼져 돌아다니는 뜬소문을 이르는 말
④ 面從腹背(면종복배): 겉으로는 복종하는 체하면서 내심으로는 배반함

## 02

난이도 ★★☆

해설 ④ '폐의파관(敝衣破冠)'과 '폐포파립(敝袍破笠)'은 모두 '해어진 옷과 부서진 갓'이란 뜻으로, 초라한 차림새를 비유적으로 이르는 말이다. 참고로 또 다른 유사한 의미의 한자 성어로 '폐의파립(敝衣破笠)'이 있다.

오답분석 ① • 경국지색(傾國之色): '임금이 혹하여 나라가 기울어져도 모를 정도의 미인'이라는 뜻으로, 뛰어나게 아름다운 미인을 이르는 말
• 경중미인(鏡中美人): '거울에 비친 미인'이라는 뜻으로, 실속 없는 일을 비유적으로 이르는 말
② • 지록위마(指鹿爲馬): 윗사람을 농락하여 권세를 마음대로 함을 이르는 말
• 지란지화(芝蘭之化): '지초와 난초의 감화'라는 뜻으로, 좋은 친구와 사귀면 자연히 그 아름다운 덕에 감화됨을 이르는 말
③ • 목불식정(目不識丁): '아주 간단한 글자인 '丁' 자를 보고도 그것이 '고무래'인 줄을 알지 못한다'라는 뜻으로, 아주 까막눈임을 이르는 말
• 목불인견(目不忍見): 눈앞에 벌어진 상황 등을 눈 뜨고는 차마 볼 수 없음을 이르는 말

## 03

난이도 ★★☆

해설 ② 제시문은 A사가 출시한 신제품으로 인해 B사에게 내주었던 업계 1위 자리를 되찾은 상황을 서술하고 있다. 이러한 A사의 상황을 가장 적절하게 표현한 한자 성어는 ② '捲土重來(권토중래)'이다.
- 捲土重來(권토중래): 1. '땅을 말아 일으킬 것 같은 기세로 다시 온다'라는 뜻으로, 한 번 실패하였으나 힘을 회복하여 다시 쳐들어옴을 이르는 말 2. 어떤 일에 실패한 뒤에 힘을 가다듬어 다시 그 일에 착수함을 비유하여 이르는 말

오답분석 ① 兎死狗烹(토사구팽): '토끼가 죽으면 토끼를 잡던 사냥개도 필요 없게 되어 주인에게 삶아 먹히게 된다'라는 뜻으로, 필요할 때는 쓰고 필요 없을 때는 야박하게 버리는 경우를 이르는 말
③ 手不釋卷(수불석권): 손에서 책을 놓지 않고 늘 글을 읽음
④ 我田引水(아전인수): '자기 논에 물 대기'라는 뜻으로, 자기에게만 이롭게 되도록 생각하거나 행동함을 이르는 말

## 04

난이도 ★★☆

해설 ① 밑줄 친 단어가 바르게 쓰인 것은 ① '호의호식'이다.
- 호의호식(好衣好食)(○): 좋은 옷을 입고 좋은 음식을 먹음

오답분석 ② 환골탈퇴(×) → 환골탈태(換骨奪胎)(○): 사람이 보다 나은 방향으로 변하여 전혀 딴사람처럼 됨
③ 주야장창(×) → 주야장천(晝夜長川)(○): 밤낮으로 쉬지 않고 연달아
④ 산수갑산(×) → 삼수갑산(三水甲山)(○): 우리나라에서 가장 험한 산골이라 이르던 삼수와 갑산, 참고로 '삼수갑산에 가는 한이 있어도'는 '자신에게 닥쳐올 어떤 위험도 무릅쓰고라도 어떤 일을 단행할 때'를 뜻하는 속담이다.

## 05

[2020년 지방직 7급]

밑줄 친 어구와 같은 뜻의 한자 성어는?

> 이생(李生)은 그 이후로 인간사에 게을러져 친척과 빈
> 객의 길흉사가 있어도 문을 닫고 나가지 않았다. 늘 아내
> 최씨(崔氏)와 더불어 시를 주고받으며 사이좋게 지냈다.
>
> - 김시습, '이생규장전' 중에서

① 琴瑟相和　　　　② 女必從夫
③ 談笑自若　　　　④ 男負女戴

## 06

[2020년 국가직 9급]

글의 통일성을 고려할 때 ㉠에 들어갈 문장으로 가장 적절한 것은?

> 기술 혁신의 상징으로 화려하게 등장한 이후 글로벌
> 아이콘이 됐던 소위 스마트폰이 그 진화의 한계에 봉착
> 한 듯하다. 게다가 최근 들어 중국 업체들의 성장세가 만
> 만치 않은 상황이 펼쳐지고 있다. 이런 가운데 오랜 기간
> 스마트폰 생산량의 수위를 지켜 왔던 기업들의 호시절
> 도 끝난 분위기다. (　　　　㉠　　　　)
> 그렇다면 스마트폰 이후 글로벌 주도 산업은 무엇일
> 까. 첫손가락에 꼽히는 것은 페이스북, 아마존, 넷플릭
> 스, 구글을 뜻하는 '팡(FANG)'이다. 모바일 퍼스트 시대
> 에서 소프트웨어, 플랫폼 사업에 눈뜬 기업들이다. 이들
> 은 지난해 매출과 순이익이 크게 늘었으며 주가도 폭등
> 했다. 하지만 이들이라고 영속 불멸하지는 않을 것이다.

① 온 국민이 절치부심(切齒腐心)하여 반성하지 않으면 안된다.
② 정보 기술 업계의 권불십년(權不十年)이라 하지 않을 수 없다.
③ 다른 나라의 기업들을 보고 아전인수(我田引水)해야 할 때다.
④ 글로벌 위기의 내우외환(內憂外患)에 국가 간 협력이 절실하다.

## 07

[2019년 서울시 7급 (2월)]

효(孝)와 관계된 사자성어가 아닌 것은?

① 斑衣之戲　　　　② 斷機之戒
③ 陸績懷橘　　　　④ 望雲之情

## 08

[2019년 서울시 7급 (10월)]

사자성어 중 뜻이 나머지와 가장 다른 하나는?

① 지란지교(芝蘭之交)　　② 금란지계(金蘭之契)
③ 문경지교(刎頸之交)　　④ 단순호치(丹脣皓齒)

## 09

[2019년 지방직 9급]

다음 (　　　) 속에 들어갈 말로 가장 적절한 것은?

> 방랑시인 김삿갓의 시는 해학과 풍자로 가득 차 있는
> 데, 무슨 시든 단숨에 써 내리는 一筆揮之인데다 가히
> (　　　　)의 상태라서 일부러 꾸미지 않았는데도 자연
> 스럽고 아름답다.

① 花朝月夕　　　　② 韋編三絶
③ 天衣無縫　　　　④ 莫無可奈

**05** 난이도 ★★☆

**해설** ① 밑줄 친 어구는 '이생'이 자신의 아내인 '최 씨'와 다정하고 화목하게 지냈다는 의미이므로 이와 같은 뜻의 한자 성어는 ① '琴瑟相和(금슬상화)'이다.
- 琴瑟相和(금슬상화): 금과 슬이 합주하여 화음이 조화되는 것같이 부부 사이가 다정하고 화목함을 비유적으로 이르는 말

**오답분석** ② 女必從夫(여필종부): 아내는 반드시 남편을 따라야 한다는 말
③ 談笑自若(담소자약): 근심이나 놀라운 일을 당하였을 때도 보통 때와 같이 웃고 이야기함
④ 男負女戴(남부여대): '남자는 지고 여자는 인다'라는 뜻으로, 가난한 사람들이 살 곳을 찾아 이리저리 떠돌아다님을 비유적으로 이르는 말

**06** 난이도 ★☆☆

**해설** ② 제시문은 기술 혁신의 상징이었던 스마트폰이 진화의 한계에 봉착했으며, 스마트폰 이후 글로벌 산업을 주도하는 기업들도 영속 불멸하지 않을 것이라고 주장한다. 따라서 글의 통일성을 고려할 때 ㉠에 들어갈 문장으로 적절한 것은 ②이다.
- 권불십년(權不十年): '권세는 십 년을 가지 못한다'라는 뜻으로, 아무리 높은 권세라도 오래가지 못함을 이르는 말

**오답분석** ① 절치부심(切齒腐心): 몹시 분하여 이를 갈며 속을 썩임
③ 아전인수(我田引水): '자기 논에 물 대기'라는 뜻으로, 자기에게만 이롭게 되도록 생각하거나 행동함을 이르는 말
④ 내우외환(內憂外患): 나라 안팎의 여러 가지 어려움

**07** 난이도 ★★☆

**해설** ② 효(孝)와 관계된 사자성어가 아닌 것은 ② '斷機之戒(단기지계)'이다.
- 斷機之戒(단기지계): 학문을 중도에서 그만두면 짜던 베의 날을 끊는 것처럼 아무 쓸모 없음을 경계한 말

**오답분석** ① 斑衣之戲(반의지희): 늙어서 효도함을 이르는 말
③ 陸績懷橘(육적회귤): 지극한 효심을 이르는 말. 중국의 '회귤 고사'에서 유래했다.
④ 望雲之情(망운지정): 자식이 객지에서 고향에 계신 어버이를 생각하는 마음

**이것도 알면 합격**

중국 '회귤고사(懷橘故事)'의 내용을 알아두자.

중국 삼국 시대 오군 사람 육적이 여섯 살 때에 원술이라는 사람을 찾아갔더니 원술이 유자(귤) 세 개를 먹으라고 주었다. 그런데 육적은 그 유자를 몰래 품속에 넣고 나오려고 했으나 하직 인사를 할 때 그것이 굴러나와 발각되고 말았다. 원술이 그 까닭을 물으니 육적은 어머니가 유자를 좋아하셔서 가져다 드리려고 품었다고 대답하였다. 이를 들은 좌중의 모든 사람들이 그 효심에 감탄하였다고 전한다.

**08** 난이도 ★★☆

**해설** ④ '단순호치(丹脣皓齒)'는 '붉은 입술과 하얀 치아'라는 뜻으로 아름다운 여자를 이르는 말이나, 나머지 ①②③은 모두 친구 사이의 정을 이르는 한자 성어이므로 뜻이 나머지와 가장 다른 하나는 ④이다.

**오답분석** ① 지란지교(芝蘭之交): '지초(芝草)와 난초(蘭草)의 교제'라는 뜻으로, 벗 사이의 맑고도 고귀한 사귐을 이르는 말
② 금란지계(金蘭之契): 친구 사이의 매우 두터운 정을 이르는 말
③ 문경지교(刎頸之交): '서로를 위해서라면 목이 잘린다 해도 후회하지 않을 정도의 사이'라는 뜻으로, 생사를 같이 할 수 있는 아주 가까운 사이, 또는 그런 친구를 이르는 말

**09** 난이도 ★★☆

**해설** ③ '일부러 꾸미지 않았는데도 자연스럽고 아름답다'는 제시문의 내용과 부합하는 한자 성어는 ③ '天衣無縫(천의무봉)'이다.
- 天衣無縫(천의무봉): '천사의 옷은 꿰맨 흔적이 없다'라는 뜻으로, 일부러 꾸민 데 없이 자연스럽고 아름다우면서 완전함을 이르는 말

**오답분석** ① 花朝月夕(화조월석): 1. '꽃 피는 아침과 달 밝은 밤'이라는 뜻으로, 경치가 좋은 시절을 이르는 말 2. 음력 2월 보름과 8월 보름
② 韋編三絶(위편삼절): '공자가 주역을 즐겨 읽어 책의 가죽끈이 세 번이나 끊어졌다'라는 뜻으로, 책을 열심히 읽음을 이르는 말
④ 莫無可奈(막무가내): 달리 어찌할 수 없음

## 10

'효녀 지은'의 행위를 나타내는 사자 성어로 가장 적절한 것은?

> 효녀 지은은 어려서 아버지를 잃고 홀로 어머니를 봉양하였다. 아침과 저녁으로 문안드리며 곁을 떠나지 않았다. - 『삼국사기』 열전 '효녀 지은' 중에서

① 肝膽相照　　　　② 磨斧爲針
③ 昏定晨省　　　　④ 孤掌難鳴

## 11

㉠~㉣의 상황에 어울리는 한자 성어로 가장 적절한 것은?

> 　내가 사는 집 이름을 사우재(四友齋)라고 하였는데, 그것은 내가 벗하는 이가 셋이고 거기에 또 내가 끼니, 합하여 넷이 되기 때문이다. 그런데 그 세 벗은 오늘날 생존해 있는 선비가 아니고 지금은 세상에 없는 옛 선비들이다. 나는 원래 세상일에 관심이 없는 데다가 또 ㉠성격이 제멋대로여서 세상 사람들과 잘 어울리지도 못한다. 그래서 사람들이 무리를 지어 꾸짖고 떼를 지어 배척하므로, ㉡집에는 찾아오는 이가 없고 밖에 나가도 찾아갈 만한 곳이 없다. 그래서 스스로 이렇게 탄식했다.
> 　"벗은 오륜(五倫) 가운데 하나를 차지하는데 나만 홀로 벗이 없으니 어찌 심히 부끄러운 일이 아니겠는가?"
> 　벼슬길에서 물러나 생각해 보았다. ㉢온 세상 사람들이 나를 더럽다고 사귀려 들지 않으니 어디서 벗을 찾을 것인가. 할 수 없이 ㉣옛 사람들 중에서 사귈 만한 이를 가려내서 벗으로 삼으리라고 마음먹었다.

① ㉠: 傍若無人　　　② ㉡: 左顧右眄
③ ㉢: 不恥下問　　　④ ㉣: 後生可畏

## 12

'아랫돌 빼서 윗돌 괴기'와 의미상 거리가 가장 먼 것은?

① 미봉책(彌縫策)
② 임기응변(臨機應變)
③ 임시방편(臨時方便)
④ 언 발에 오줌 누기

## 13

〈보기〉의 괄호에 알맞은 한자성어는?

> ───── 〈보기〉 ─────
> 　일을 하다 보면 균형과 절제가 필요하다는 것을 알게 된다. 일의 수행 과정에서 부분적 잘못을 바로 잡으려다 정작 일 자체를 뒤엎어 버리는 경우가 왕왕 발생하기 때문이다. 흔히 속담에 "빈대 잡으려다 초가삼간 태운다"는 말은 여기에 해당할 것이다. 따라서 부분적 결점을 바로잡으려다 본질을 해치는 (　　　　)의 어리석음을 저질러서는 안 된다.

① 개과불린(改過不吝)
② 경거망동(輕擧妄動)
③ 교각살우(矯角殺牛)
④ 부화뇌동(附和雷同)

**10** 난이도 ★★☆

해설 ③ 제시문은 '효녀 지은'이 밤낮으로 어머니를 봉양하는 상황으로 '효녀 지은'의 지극한 효심이 나타난다. 따라서 '효녀 지은'의 행위를 나타내는 한자 성어로 가장 적절한 것은 ③ '昏定晨省(혼정신성)'이다.
- **昏定晨省(혼정신성)**: '밤에는 부모의 잠자리를 보아 드리고 이른 아침에는 부모의 밤새 안부를 묻는다'라는 뜻으로, 부모를 잘 섬기고 효성을 다함을 이르는 말

오답분석 ① 肝膽相照(간담상조): 서로 속마음을 털어놓고 친하게 사귐
② 磨斧爲針(마부위침): '도끼를 갈아 바늘을 만든다'라는 뜻으로, 아무리 어려운 일일지라도 인내와 노력으로 마침내 이루어 낸다는 말
④ 孤掌難鳴(고장난명): 1. '외손뼉만으로는 소리가 울리지 않는다'라는 뜻으로, 혼자의 힘만으로 어떤 일을 이루기 어려움을 이르는 말 2. 맞서는 사람이 없으면 싸움이 일어나지 않음을 이르는 말

**11** 난이도 ★★☆

해설 ① ⊙ '성격이 제멋대로여서 세상 사람들과 잘 어울리지도 못한다'라는 상황은 '곁에 사람이 없는 것처럼 아무 거리낌 없이 함부로 말하고 행동하는 태도가 있음'을 뜻하는 ① '傍若無人(방약무인)'과 적절하게 어울린다.

오답분석 ② 左顧右眄(좌고우면): '이쪽저쪽을 돌아본다'라는 뜻으로, 앞뒤를 재고 망설임을 이르는 말
③ 不恥下問(불치하문): 손아랫사람이나 지위나 학식이 자기만 못한 사람에게 모르는 것을 묻는 일을 부끄러워하지 않음
④ 後生可畏(후생가외): '젊은 후학들을 두려워할 만하다'라는 뜻으로, 후진들이 선배들보다 젊고 기력이 좋아, 학문을 닦음에 따라 큰 인물이 될 수 있으므로 가히 두렵다는 말

**12** 난이도 ★★☆

해설 ② '아랫돌 빼서 윗돌 괴기'는 '일이 몹시 급하여 임시변통으로 이리저리 둘러맞추어 일함'을 뜻하는 속담이다. 이와 의미상 거리가 가장 먼 것은 '그때그때 처한 사태에 맞추어 즉각 그 자리에서 결정하거나 처리함'을 뜻하는 ② '임기응변(臨機應變)'이다.

오답분석 ① 미봉책(彌縫策): 눈가림만 하는 일시적인 계책
③ 임시방편(臨時方便): 갑자기 터진 일을 우선 간단하게 둘러맞추어 처리함
④ 언 발에 오줌 누기: '언 발을 녹이려고 오줌을 누어 봤자 효력이 별로 없다'라는 뜻으로, 임시변통은 될지 모르나 그 효력이 오래가지 못할 뿐만 아니라 결국에는 사태가 더 나빠짐을 비유적으로 이르는 말

**13** 난이도 ★★☆

해설 ③ 〈보기〉의 괄호 안에는 부분적 결점을 바로잡으려다 본질을 해친다는 의미의 한자 성어가 들어가야 한다. 따라서 괄호 안에는 '잘못된 점을 고치려다가 그 방법이나 정도가 지나쳐 오히려 일을 그르침'을 뜻하는 ③ '교각살우(矯角殺牛)'가 들어가는 것이 적절하다.

오답분석 ① 개과불린(改過不吝): 자신의 과실을 고치는 것을 주저하지 않음
② 경거망동(輕擧妄動): 경솔하여 생각 없이 망령되게 행동함. 또는 그런 행동
④ 부화뇌동(附和雷同): 줏대 없이 남의 의견에 따라 움직임

## 14

[2018년 소방직 9급 (10월)]

**다음 상황에 어울리는 사자성어로 가장 적절한 것은?**

> 수진이는 시험에 합격하기 위해서는 책 한 권의 내용을 다 공부해야 한다며 공부 계획을 짜서 보여주었다. 하지만 정훈이는 그 책의 두께를 보는 순간 그것은 불가능하다고 생각했다. 여섯 달이 지난 후 시험에 합격한 수진이는 자신도 처음엔 책 두께를 보고 포기하고 싶었지만 계획을 세우고 매일매일 빼먹지 않고 공부한 결과 그 내용을 다 공부할 수 있었다고 했다.

① 마부위침(磨斧爲針)
② 설상가상(雪上加霜)
③ 어부지리(漁夫之利)
④ 상전벽해(桑田碧海)

## 15

[2017년 국가직 9급 (4월)]

**밑줄 친 부분과 관련된 사자 성어로 가장 적절한 것은?**

> 전국 시대 말, 진나라의 공격을 받은 조나라 혜문왕은 동생인 평원군을 초나라에 보내어 구원군을 청하기로 했다. 이십 명의 수행원이 필요한 평원군은 그의 삼천여 식객 중에서 십구 명은 쉽게 뽑았으나, 나머지 한 명을 뽑지 못한 채 고심했다. 이때에 모수라는 식객이 나섰다. 평원군은 어이없어하며 자신의 집에 언제부터 있었는지 물었다. 모수가 삼 년이 되었다고 대답하자 평원군은 재능이 뛰어난 사람은 숨어 있어도 저절로 사람들에게 알려지게 되는 법인데, 모수의 이름을 들어본 적이 없다고 답했다. 그러자 모수는 "나리께서 이제까지 저를 단 한 번도 주머니 속에 넣어 주시지 않았기 때문입니다. 하지만 이번에 주머니 속에 넣어 주신다면 끝뿐이 아니라 자루까지 드러날 것입니다." 하고 재치 있는 답변을 했다. 만족한 평원군은 모수를 수행원으로 뽑았고, 초나라에 도착한 평원군은 모수가 활약한 덕분에 국빈으로 환대받고, 구원군도 얻을 수 있었다.

① 吳越同舟　　　② 囊中之錐
③ 馬耳東風　　　④ 近墨者黑

## 16

[2017년 국가직 9급 (10월)]

**밑줄 친 한자 성어의 쓰임이 적절하지 않은 것은?**

① 그는 이번 실패에 굴하지 않고 <u>捲土重來</u>를 꿈꾸고 있다.
② 그는 <u>魚魯不辨</u>으로 부당 이득을 취한 혐의를 받고 있다.
③ 그는 이번 사건에 <u>吾不關焉</u>하면서 책임을 회피하고 있다.
④ 그의 말이 <u>羊頭狗肉</u>으로 평가받는 것은 겉만 그럴듯해서이다.

## 17

[2017년 지방직 9급 (12월)]

**한자 성어의 뜻풀이로 옳지 않은 것은?**

① 결초보은(結草報恩): 죽은 뒤에라도 은혜를 잊지 않고 갚음을 이르는 말.
② 방약무인(傍若無人): 어떤 약으로도 치료할 수 없는 상태임.
③ 절치부심(切齒腐心): 몹시 분하여 이를 갈며 속을 썩임.
④ 점입가경(漸入佳境): 들어갈수록 점점 재미가 있음.

## 18

[2017년 지방직 7급]

**㉠과 ㉡이 비슷한 의미의 사자성어가 아닌 것은?**

|  | ㉠ | ㉡ |
|---|---|---|
| ① | 單刀直入 | 去頭截尾 |
| ② | 如出一口 | 異口同聲 |
| ③ | 屍山血海 | 滄海一粟 |
| ④ | 面從腹背 | 口蜜腹劍 |

## 14

난이도 ★★☆

**해설** ① 제시문에서 수진이는 꾸준하게 노력한 끝에, 불가능할 것이라던 예상을 깨고 책의 내용을 모두 학습하여 시험에 합격하였다. 따라서 제시문의 상황에 어울리는 사자성어로 가장 적절한 것은 ① '마부위침(磨斧爲針)'이다.
- 마부위침(磨斧爲針): '도끼를 갈아 바늘을 만든다'라는 뜻으로, 아무리 어려운 일일지라도 인내와 노력으로 마침내 이루어 낸다는 말

**오답분석** ② 설상가상(雪上加霜): '눈 위에 서리가 덮인다'라는 뜻으로, 난처한 일이나 불행한 일이 잇따라 일어남을 이르는 말

③ 어부지리(漁夫之利): 두 사람이 이해관계로 서로 싸우는 사이에 엉뚱한 사람이 애쓰지 않고 가로챈 이익을 이르는 말

④ 상전벽해(桑田碧海): '뽕나무밭이 변하여 푸른 바다가 된다'라는 뜻으로, 세상일의 변천이 심함을 비유적으로 이르는 말

## 15

난이도 ★★☆

**해설** ② '모수'는 자신을 주머니 속에 넣으면 자루까지 드러날 정도로 두각을 나타낼 수 있는 사람이라고 주장하고 있다. 이와 관련된 한자 성어는 ② '囊中之錐(낭중지추)'이다.
- 囊中之錐(낭중지추): '주머니 속의 송곳'이라는 뜻으로, 재능이 뛰어난 사람은 숨어 있어도 저절로 사람들에게 알려짐을 이르는 말

**오답분석** ① 吳越同舟(오월동주): 서로 적의를 품은 사람들이 한자리에 있게 된 경우나 서로 협력하여야 하는 상황을 비유적으로 이르는 말

③ 馬耳東風(마이동풍): '동풍이 말의 귀를 스쳐 간다'라는 뜻으로, 남의 말을 귀담아듣지 않고 지나쳐 흘려버림을 이르는 말

④ 近墨者黑(근묵자흑): '먹을 가까이하는 사람은 검어진다'라는 뜻으로, 나쁜 사람과 가까이 지내면 나쁜 버릇에 물들기 쉬움을 비유적으로 이르는 말

## 16

난이도 ★★☆

**해설** ② '魚魯不辨(어로불변)'은 '어(魚) 자와 노(魯) 자를 구별하지 못한다'라는 뜻으로, 아주 무식함을 비유적으로 이르는 말이다. 따라서 부당 이득을 취하였다는 내용과 어울리지 않으므로, ②는 한자 성어의 쓰임이 적절하지 않다.

**오답분석** ① 捲土重來(권토중래): 1. '땅을 말아 일으킬 것 같은 기세로 다시 온다'라는 뜻으로, 한 번 실패하였으나 힘을 회복하여 다시 쳐들어옴을 이르는 말 2. 어떤 일에 실패한 뒤에 힘을 가다듬어 다시 그 일에 착수함을 비유하여 이르는 말

③ 吾不關焉(오불관언): 나는 그 일에 상관하지 않음

④ 羊頭狗肉(양두구육): '양의 머리를 걸어 놓고 개고기를 판다'라는 뜻으로, 겉보기만 그럴듯하게 보이고 속은 변변하지 않음을 이르는 말

## 17

난이도 ★★☆

**해설** ② '방약무인(傍若無人)'은 '곁에 사람이 없는 것처럼 아무 거리낌 없이 함부로 말하고 행동하는 태도가 있음'을 뜻한다. 따라서 한자 성어의 뜻풀이가 옳지 않은 것은 ②이다.

## 18

난이도 ★★☆

**해설** ③ ㉠과 ㉡이 비슷한 의미의 사자성어가 아닌 것은 ③이다.
- ㉠ 屍山血海(시산혈해): 사람의 시체가 산같이 쌓이고 피가 바다같이 흐름을 이르는 말
- ㉡ 滄海一粟(창해일속): '넓고 큰 바닷속의 좁쌀 한 알'이라는 뜻으로, 아주 많거나 넓은 것 가운데 있는 매우 하찮고 작은 것을 이르는 말

**오답분석** ①②④ 모두 ㉠과 ㉡의 의미가 비슷하다.

① • ㉠ 單刀直入(단도직입): '혼자서 칼 한 자루를 들고 적진으로 곧장 쳐들어간다'라는 뜻으로, 여러 말을 늘어놓지 않고 바로 요점이나 본문제를 중심적으로 말함을 이르는 말
- ㉡ 去頭截尾(거두절미): 1. 어떤 일의 요점만 간단히 말함 2. 머리와 꼬리를 잘라 버림

② • ㉠ 如出一口(여출일구): 한 입에서 나오는 것처럼 여러 사람의 말이 같음을 이르는 말
- ㉡ 異口同聲(이구동성): '입은 다르나 목소리는 같다'라는 뜻으로, 여러 사람의 말이 한결같음을 이르는 말

④ • ㉠ 面從腹背(면종복배): 겉으로는 복종하는 체하면서 내심으로는 배반함
- ㉡ 口蜜腹劍(구밀복검): '입에는 꿀이 있고 배 속에는 칼이 있다'라는 뜻으로, 말로는 친한 듯하나 속으로는 해칠 생각이 있음을 이르는 말

## 19

[2017년 서울시 7급]

다음 중 뜻이 비슷한 사자성어끼리 짝지어지지 않은 것은?

① 同病相憐 - 兩寡分悲
② 口如懸河 - 口尙乳臭
③ 衣錦夜行 - 夜行被繡
④ 望雲之情 - 白雲孤飛

## 20

[2017년 사회복지직 9급]

다음 중 밑줄 친 부분과 가장 잘 어울리는 사자성어는?

> 사면(四面)으로 두른 것은 토끼 잡는 그물이고, 토끼 은신 수풀 속 쫓는 것은 초동(樵童)이라. 그대 신세 생각하면 적벽강에 전패(全敗)하던 조맹덕의 정신이라. 작은 눈 부릅뜨고 짧은 꽁지 뒤에 끼고 절벽상에 정신없이 달아날 제……. 

① 小隙沈舟
② 魂飛魄散
③ 亡羊補牢
④ 干名犯義

## 21

[2017년 경찰직 2차]

다음 빈 괄호 속에 들어갈 한자 성어로 가장 적절한 것은?

> 마지막 편견. '이민자는 한국인의 일자리를 빼앗는다.' 이주 노동자는 한국인의 일자리를 빼앗기는커녕 일꾼이 부족한 일자리를 채워 준다. 더구나 건축업이나 서비스업은 '수출'할 수도 없다. 인재가 재산인 나라 대한민국은 곧 인재가 부족한 나라가 된다. 〈중 략〉
>
> 국제 연합의 통계를 보면 미국은 2050년에도 중간 나이가 41.1세인 젊은 나라이다. 반면 대한민국은 같은 해 중간 나이가 53.9세로 가장 늙은 나라가 된다. 미국의 비결은 간단하다. 이민이 미국을 젊게 한다. 우리도 발상을 바꾸면 된다. 일본도 최근 필리핀 출신 이민자를 받아들이기로 했다. 어쩔 수 없으니까. 노인들은 아픈데 간호할 사람이 없고, 어쩌겠는가? 독일도 1960년대 외국 인력 교체 순환 정책을 썼다. 하지만 고용주들이 반발했다. 숙련공을 내보내고 미숙련공을 받아야 했기 때문이다. 결국 이민자들이 정착할 길이 열렸다. 그렇다고 독일이 혼란에 빠졌다거나 독일인이 일자리를 잃었다는 후문은 없다. 오히려 일꾼이 문화까지 들여오니 (          ) 아니겠는가? 이주 노동자는 재앙이 아니라 축복이다.

① 一刀兩斷
② 一魚濁水
③ 一望無際
④ 一擧兩得

## 22

[2016년 사회복지직 9급]

의미가 다른 한자어는?

① 면종복배(面從腹背)
② 부화뇌동(附和雷同)
③ 구밀복검(口蜜腹劍)
④ 소리장도(笑裏藏刀)

## 19

**해설** ② 뜻이 비슷한 사자성어끼리 짝지어지지 않은 것은 ② '口如懸河(구여현하)-口尙乳臭(구상유취)'이다.

- 口如懸河(구여현하): '입이 급히 흐르는 물과 같다'라는 뜻으로, 막힘없이 말을 잘함을 이르는 말
- 口尙乳臭(구상유취): '입에서 아직 젖내가 난다'라는 뜻으로, 말이나 행동이 아직 유치하다는 말

**오답분석** ① • 同病相憐(동병상련): '같은 병을 앓는 사람끼리 서로 가엾게 여긴다'라는 뜻으로, 어려운 처지에 있는 사람끼리 서로 가엾게 여김을 이르는 말
- 兩寡分悲(양과분비): '두 과부가 슬픔을 서로 나눈다'라는 뜻으로, 같은 처지에 있는 사람끼리 서로 동정함을 이르는 말

③ • 衣錦夜行(의금야행): '비단옷을 입고 밤에 다닌다'라는 뜻으로, 모처럼 성공하였으나 남에게 알려지지 않음을 이르는 말
- 夜行被繡(야행피수): '수놓은 좋은 옷을 입고 밤길을 간다'라는 뜻으로, 공명이 세상에 알려지지 않아 아무 보람도 없음을 이르는 말

④ • 望雲之情(망운지정): 자식이 객지에서 고향에 계신 어버이를 생각하는 마음
- 白雲孤飛(백운고비): 1. 타역에서 고향에 계신 부모를 생각함 2. 멀리 떠나온 자식이 어버이를 애틋하게 생각하고 그리워하는 마음

## 20

**해설** ② 밑줄 친 부분은 위기 상황에서 급히 달아나는 토끼의 모습을 묘사하고 있으므로, 이와 가장 잘 어울리는 한자 성어는 '몹시 놀라 넋을 잃음'을 이르는 말인 ② '魂飛魄散(혼비백산)'이다.

**오답분석** ① 小隙沈舟(소극침주): '조그만 틈으로 물이 새어 들어 배가 가라앉는다'라는 뜻으로, 작은 일을 게을리하면 큰 재앙이 닥치게 됨을 이르는 말

③ 亡羊補牢(망양보뢰): '양을 잃고 우리를 고친다'라는 뜻으로, 이미 어떤 일을 실패한 뒤에 뉘우쳐도 아무 소용이 없음을 이르는 말

④ 干名犯義(간명범의): 명분을 거스르고 의리를 어기는 행위

## 21

**해설** ④ 제시문의 필자는 이주 노동자로 인해 젊은 국가가 되고 다른 문화까지 들여올 수 있으므로 한 번에 두 가지의 이익이 발생한다고 주장하고 있다. 따라서 문맥상 괄호 속에 들어갈 한자 성어는 ④ '一擧兩得(일거양득)'이 적절하다.

- 一擧兩得(일거양득): 한 가지 일을 하여 두 가지 이익을 얻음

**오답분석** ① 一刀兩斷(일도양단): 1. 칼로 무엇을 대번에 쳐서 두 도막을 냄 2. 어떤 일을 머뭇거리지 않고 선뜻 결정함을 비유적으로 이르는 말

② 一魚濁水(일어탁수): '한 마리의 물고기가 물을 흐린다'라는 뜻으로, 한 사람의 잘못으로 여러 사람이 피해를 입게 됨을 이르는 말

③ 一望無際(일망무제): 한눈에 바라볼 수 없을 정도로 아득하게 멀고 넓어서 끝이 없음

## 22

**해설** ② '부화뇌동(附和雷同)'은 '줏대 없이 남의 의견에 따라 움직임'을 뜻하고, 나머지 ① ③ ④는 모두 '겉과 속이 다름'을 뜻하는 한자 성어이므로 의미가 다른 것은 ②이다.

**오답분석** ① 면종복배(面從腹背): 겉으로는 복종하는 체하면서 내심으로는 배반함

③ 구밀복검(口蜜腹劍): '입에는 꿀이 있고 배 속에는 칼이 있다'라는 뜻으로, 말로는 친한 듯하나 속으로는 해칠 생각이 있음을 이르는 말

④ 소리장도(笑裏藏刀): '웃는 마음속에 칼이 있다'라는 뜻으로, 겉으로는 웃고 있으나 마음속에는 해칠 마음을 품고 있음을 이르는 말

## 23

[2017년 경찰직 1차]

다음 내용을 한자 성어로 표현할 때 가장 적절하지 않은 것은?

> 집에 오래 지탱할 수 없이 퇴락한 행랑채 세 칸이 있어서 나는 부득이 그것을 모두 수리하게 되었다. 이때 앞서 그 중 두 칸은 비가 샌 지 오래되었는데, 나는 그것을 알고도 어물어물하다가 미처 수리하지 못하였고, 다른 한 칸은 한 번밖에 비를 맞지 않았기 때문에 급히 기와를 갈게 하였다.
>
> 그런데 수리하고 보니, 비가 샌 지 오래된 것은 서까래, 추녀, 기둥, 들보가 모두 썩어서 못 쓰게 되었으므로 경비가 많이 들었고, 한 번밖에 비를 맞지 않은 것은 재목들이 모두 완전하여 다시 쓸 수 있었기 때문에 경비가 적게 들었다.
>
> 나는 여기에서 이렇게 생각한다. 사람의 몸에 있어서도 역시 마찬가지이다. 잘못을 알고서도 곧 고치지 않으면 몸의 패망하는 것이 나무가 썩어서 못 쓰게 되는 이상으로 될 것이고, 잘못이 있더라도 고치기를 꺼려하지 않으면 다시 좋은 사람이 되는 것이 집 재목이 다시 쓰일 수 있는 이상으로 될 것이다. 이뿐만 아니라, 나라의 정사도 이와 마찬가지다. 모든 일에 있어서, 백성에게 심한 해가 될 것을 머뭇거리고 개혁하지 않다가, 백성이 못살게 되고 나라가 위태하게 된 뒤에 갑자기 변경하려 하면, 곧 붙잡아 일으키기 어렵다. 삼가지 않을 수 있겠는가?

① 殃及池魚　　　　　② 渴而穿井

③ 亡羊補牢　　　　　④ 死後藥方文

## 24

[2016년 국가직 9급]

다음의 상황에 어울리는 한자 성어로 가장 적절한 것은?

> 김만중의 '사씨남정기'에서 사씨는 교씨의 모함을 받아 집에서 쫓겨난다. 사악한 교씨는 문객인 동청과 작당하여 남편인 유한림마저 모함한다. 그러나 결국은 교씨의 사악함이 만천하에 드러나고 유한림이 유배지에서 돌아오자 교씨는 처형되고 사씨는 누명을 벗고 다시 집으로 돌아오게 된다.

① 교언영색(巧言令色)

② 절치부심(切齒腐心)

③ 만시지탄(晩時之歎)

④ 사필귀정(事必歸正)

## 25

[2016년 지방직 9급]

밑줄 친 한자 성어의 쓰임이 적절하지 않은 것은?

① 말이 너무 번드르르해 미덥지 않은 자들은 대부분 口蜜腹劍형의 사람이다.

② 그는 싸움다운 전쟁도 못하고 一敗塗地가 되어 고향으로 달아나고 말았다.

③ 그에게 마땅히 대응했어야 했는데, 그대는 어찌하여 首鼠兩端하다가 시기를 놓쳤소?

④ 요새 신입생들이 선배들에게 예의를 차릴 줄 모르는 걸 보면 참 後生可畏하다는 생각이다.

## 26

[2016년 서울시 9급]

다음 중 밑줄 친 부분을 의미하는 사자성어는?

> 사원 여러분, 이번 중동 진출은 이미 예산이 많이 투입된 대규모 사업입니다. 그래서 하던 일을 중도에서 그만둘 수는 없습니다. 이번 위기를 극복해야만 회사가 삽니다. 어려움과 많은 문제들이 있어 심적으로는 불안하겠지만 조금만 더 참고 끝까지 함께 갑시다.

① 登高自卑　　　　　② 角者無齒

③ 騎虎之勢　　　　　④ 脣亡齒寒

## 27

[2016년 서울시 9급]

다음 중 밑줄 친 부분의 한자가 옳은 것은?

① 溫古知新　　　　　② 麥秀之嘆

③ 識者憂患　　　　　④ 左考右眄

## 23
난이도 ★★☆

해설 ① 제시된 작품은 '잘못을 알게 된 후 바로 고치는 자세의 중요성'에 대하여 이야기하고 있다. 이러한 내용을 한자 성어로 표현할 때 가장 적절하지 않은 것은 ① '殃及池魚(앙급지어)'이다.
- **殃及池魚(앙급지어)**: '재앙이 못의 물고기에 미친다'라는 뜻으로, 제삼자가 엉뚱하게 재난을 당함을 이르는 말

오답분석 ② 渴而穿井(갈이천정): 1. 어떠한 준비 없이 있다가 일이 발생하고 나서 서둘러봤자 아무런 소용이 없음을 이르는 말 2. 막상 자신에게 급한 일이 닥쳐야 일을 하게 됨을 이르는 말

③ 亡羊補牢(망양보뢰): '양을 잃고 우리를 고친다'라는 뜻으로, 이미 어떤 일을 실패한 뒤에 뉘우쳐도 소용이 없음을 이르는 말

④ 死後藥方文(사후약방문): '죽은 뒤에 약방문을 쓰다'라는 뜻으로, 때를 놓치고 난 뒤에 노력을 기울이거나 후회해도 소용이 없음을 이르는 말

## 24
난이도 ★☆☆

해설 ④ 사악한 교씨는 처형되고 사씨는 누명을 벗어 본래 자리를 되찾게 되므로, 이 상황에 어울리는 한자 성어는 ④ '사필귀정'이다.
- 사필귀정(事必歸正): 모든 일은 반드시 바른길로 돌아감

오답분석 ① 교언영색(巧言令色): 아첨하는 말과 알랑거리는 태도

② 절치부심(切齒腐心): 몹시 분하여 이를 갈며 속을 썩임

③ 만시지탄(晚時之歎/晚時之嘆): 시기에 늦어 기회를 놓쳤음을 안타까워하는 탄식

## 25
난이도 ★★☆

해설 ④ '後生可畏(후생가외)'는 '젊은 후학들을 두려워할 만하다'라는 뜻인데, 여기에서 후학들을 두려워하는 이유는 후배들이 선배들보다 젊고 기력이 좋아, 학문을 닦음에 따라 큰 인물이 될 수 있기 때문이다. 따라서 ④는 문맥상 한자 성어의 쓰임이 적절하지 않다.

오답분석 ① 口蜜腹劍(구밀복검): '입에는 꿀이 있고 배 속에는 칼이 있다'라는 뜻으로, 말로는 친한 듯하나 마음속에는 해칠 생각이 있음을 이르는 말

② 一敗塗地(일패도지): '싸움에 한 번 패하여 간과 뇌가 모두 땅바닥에 으깨어진다'라는 뜻으로, 여지없이 패하여 다시 일어날 수 없게 되는 지경에 이름을 이르는 말

③ 首鼠兩端(수서양단): '구멍에 머리를 내밀고 나갈까 말까 망설이는 쥐'라는 뜻으로, 머뭇거리며 진퇴를 정하지 못하는 상태를 이르는 말

## 26
난이도 ★★☆

해설 ③ 밑줄 친 부분인 '하던 일을 중도에 그만둘 수 없음'을 의미하는 사자성어는 ③ '騎虎之勢(기호지세)'이다.
- 기호지세(騎虎之勢): '호랑이를 타고 달리는 형세'라는 뜻으로, 이미 시작한 일을 중도에서 그만둘 수 없는 경우를 비유적으로 이르는 말

오답분석 ① 登高自卑(등고자비): 1. 높은 곳에 오르려면 낮은 곳에서부터 오른다는 뜻으로, 일을 순서대로 하여야 함을 이르는 말 2. 지위가 높아질수록 자신을 낮춤을 이르는 말

② 角者無齒(각자무치): '뿔이 있는 짐승은 이가 없다'라는 뜻으로, 한 사람이 여러 가지 재주나 복을 다 가질 수 없다는 말

④ 脣亡齒寒(순망치한): '입술이 없으면 이가 시리다'라는 뜻으로, 서로 이해관계가 밀접한 사이에 어느 한쪽이 망하면 다른 한쪽도 그 영향을 받아 온전하기 어려움을 이르는 말

## 27
난이도 ★★★

해설 ② '麥秀之嘆(맥수지탄)'의 '수'는 '秀(빼어날 수)'이므로, 한자 성어의 표기가 옳은 것은 ②이다.
- 麥秀之嘆(맥수지탄: 보리 맥, 빼어날 수, 갈 지, 탄식할 탄)(○): 고국의 멸망을 한탄함

오답분석 ① 溫古知新(×): 古(옛 고) → 故(옛 고)
- 溫故知新(온고지신: 익힐 온, 옛 고, 알 지, 새 신): 옛것을 익히고 그것을 미루어서 새것을 앎

③ 識者憂患(×): 者(사람 자) → 字(글자 자)
- 識字憂患(식자우환): 알 식, 글자 자, 근심 우, 근심 환): 학식이 있는 것이 오히려 근심을 사게 됨

④ 左考右眄(×): 考(생각할 고) → 顧(돌아볼 고)
- 左顧右眄(좌고우면: 왼 좌, 돌아볼 고, 오른 우, 돌아볼 면): '이쪽저쪽을 돌아본다'라는 뜻으로, 앞뒤를 재고 망설임을 이르는 말

## 28

[2016년 국가직 7급]

㉠~㉢에 들어갈 한자 성어를 순서대로 바르게 연결한 것은?

> ○ 그는 고집이 어찌나 센지 한번 결심하면 ( ㉠ )이다.
> ○ '고래 싸움에 새우 등 터진다.'라는 속담은 ( ㉡ )와 일맥상통하는 말이다.
> ○ 아무리 ( ㉢ )한 인물이라도 좋은 동료를 만나지 못하면 성공하기 힘들다.

| | ㉠ | ㉡ | ㉢ |
|---|---|---|---|
| ① | 搖之不動 | 間於齊楚 | 蓋世之才 |
| ② | 搖之不動 | 看於齊楚 | 改世之才 |
| ③ | 擾之不動 | 間於齊楚 | 改世之才 |
| ④ | 擾之不動 | 看於齊楚 | 蓋世之才 |

## 29

[2015년 국가직 9급]

다음 글에서 경계하고자 하는 태도와 유사한 것은?

> 비판적 사고는 지엽적이고 시시콜콜한 문제를 트집 잡아 물고 늘어지는 것이 아니라 문제의 핵심을 중요한 대상으로 삼는다. 비판적 사고는 제기된 주장에 어떤 오류나 잘못이 있는가를 찾아내기 위해 지엽적인 사항을 확대하여 문제로 삼는 태도나 사고방식과는 거리가 멀다.

① 격물치지(格物致知)   ② 본말전도(本末顚倒)
③ 유명무실(有名無實)   ④ 돈오점수(頓悟漸修)

## 30

[2015년 지방직 9급]

나머지 셋과 의미가 다른 사자성어는?

① 갑남을녀(甲男乙女)
② 초동급부(樵童汲婦)
③ 장삼이사(張三李四)
④ 부창부수(夫唱婦隨)

## 31

[2015년 국가직 9급]

밑줄 친 사자성어의 쓰임이 적절하지 않은 것은?

① 그는 결단력이 없어 좌고우면(左顧右眄)하다가 적절한 대응 시기를 놓쳐 버렸다.
② 다수의 기업이 새로운 투자보다 변화에 대한 암중모색(暗中摸索)을 시도하고 있다.
③ 그 친구는 침소봉대(針小棒大)하는 경향이 있어서 하는 말을 곧이곧대로 믿기 어렵다.
④ 그 사람이 경제적으로 매우 어려운 상황에서 성공한 것은 연목구어(緣木求魚)나 마찬가지이다.

## 32

[2015년 지방직 9급]

다음 내용에 부합하는 사자성어는?

> 다양한 의견을 지닌 사회의 주체들이 서로 어우러지면서도 개개인의 의견을 굽혀 야합하지 않는 열린 토론의 장을 만들자.

① 동기상구(同氣相求)
② 화이부동(和而不同)
③ 동성이속(同聲異俗)
④ 오월동주(吳越同舟)

## 33

[2015년 서울시 9급]

〈보기〉의 홍길동 씨가 처한 상황을 가장 잘 표현한 한자 성어는?

> ───── 〈보기〉 ─────
>
> 홍길동 씨는 내일 열릴 동창회에 참석할 마음이 없었지만 친구들의 성화로 어쩔 수 없이 나간다고 약속을 했다. 그런데 당일 아침 갑작스레 배탈이 나서 도저히 동창회에 참석할 수 없는 상황이 되었다. 그는 동창회 총무에게 전화해서 사정을 설명했지만 상대방은 곧이곧대로 듣지 않고 동창회에 나오기 싫은 핑계라고 생각했다.

① 錦上添花       ② 烏飛梨落
③ 苦盡甘來       ④ 一擧兩得

**28**     난이도 ★★☆

**해설** ① ⊙~ⓒ에는 순서대로 '搖之不動(요지부동), 間於齊楚(간어제초), 蓋世之才(개세지재)'가 들어가는 것이 적절하다.
- ⊙ 搖之不動(요지부동): 흔들어도 꼼짝하지 않음
- ⓛ 間於齊楚(간어제초): 약자가 강자들 틈에 끼어서 괴로움을 겪음을 이르는 말.
- ⓒ 蓋世之才(개세지재): 세상을 뒤덮을 만큼 뛰어난 재주. 또는 그 재주를 가진 사람

**오답분석** ⊙ 擾之不動: 擾(시끄러울 요)(×) → 搖(흔들 요)(○)
ⓛ 看於齊楚: 看(볼 간)(×) → 間(사이 간)(○)
ⓒ 改世之才: 改(고칠 개)(×) → 蓋(덮을 개)(○)

**29**     난이도 ★☆☆

**해설** ② 제시문의 첫 번째 문장에서 비판적 사고란 '지엽적이고 시시콜콜한 문제를 트집 잡아 물고 늘어지는 것이 아니라 문제의 핵심을 중요한 대상으로 삼는 것'이라고 하였다. 이러한 내용을 고려하였을 때 제시문에서 경계하고자 하는 태도는, 일의 주요한 부분은 생각하지 않고 주요하지 않은 부분만 생각함을 뜻하는 ② '본말전도(本末顚倒)'의 태도이다.

**오답분석** ① 격물치지(格物致知): 실제 사물의 이치를 연구하여 지식을 완전하게 함
③ 유명무실(有名無實): 이름만 그럴듯하고 실속은 없음
④ 돈오점수(頓悟漸修): 깨달음을 얻기 위해서는 점진적인 수행이 있어야 한다는 말

**30**     난이도 ★★☆

**해설** ④ 나머지 셋과 의미가 다른 것은 ④이다. ④ '부창부수'는 부부 사이의 도리와 관련된 말이나, ① '갑남을녀', ② '초동급부', ③ '장삼이사'는 평범한 사람들을 이르는 말이다.
- 부창부수(夫唱婦隨): 남편이 주장하고 아내가 이에 잘 따름. 또는 부부 사이의 그런 도리

**오답분석** ① 갑남을녀(甲男乙女): '갑이란 남자와 을이란 여자'라는 뜻으로, 평범한 사람들을 이르는 말
② 초동급부(樵童汲婦): '땔나무를 하는 아이와 물을 긷는 아낙네'라는 뜻으로, 평범한 사람들을 이르는 말
③ 장삼이사(張三李四): '장씨(張氏)의 셋째 아들과 이씨(李氏)의 넷째아들'이라는 뜻으로, 이름이나 신분이 특별하지 않은 평범한 사람들을 이르는 말

**31**     난이도 ★★☆

**해설** ④ '연목구어(緣木求魚)'는 '나무에 올라가서 물고기를 구한다'라는 뜻으로, 도저히 불가능한 일을 굳이 하려 함을 비유적으로 이르는 말이다. 따라서 '경제적으로 매우 어려운 상황에서 성공한 것'이라는 내용과 어울리지 않으므로 답은 ④이다.

**오답분석** ① 좌고우면(左顧右眄): '이쪽저쪽을 돌아본다'라는 뜻으로, 앞뒤를 재고 망설임을 이르는 말
② 암중모색(暗中摸索): 어림으로 무엇을 알아내거나 찾아내려 함
③ 침소봉대(針小棒大): 작은 일을 크게 불리어 떠벌림

**32**     난이도 ★★☆

**해설** ② 서로 어우러지면서도 야합하지 않는다는 제시문의 내용과 부합하는 것은 '남과 사이좋게 지내기는 하나 무턱대고 어울리지는 않음'을 뜻하는 ② '화이부동(和而不同)'이다.

**오답분석** ① 동기상구(同氣相求): '같은 소리끼리는 서로 응하여 울린다'라는 뜻으로, 같은 무리끼리 서로 통하고 자연히 모인다는 말
③ 동성이속(同聲異俗): 사람이 날 때는 다 같은 소리를 가지고 있으나, 자라면서 그 나라의 풍속으로 인해 서로 달라짐을 이르는 말
④ 오월동주(吳越同舟): 서로 적의를 품은 사람들이 한자리에 있게 된 경우나 서로 협력하여야 하는 상황을 비유적으로 이르는 말

**33**     난이도 ★★☆

**해설** ② 〈보기〉는 배탈이 난 때가 공교롭게 동창회 당일 아침이라, 홍길동 씨가 동창회에 나오기 싫어 핑계를 대는 것으로 오해를 받는 상황이다. 따라서 홍길동 씨가 처한 상황에는 '까마귀 날자 배 떨어진다'라는 뜻으로 아무 관계도 없이 한 일이 공교롭게도 때가 같아 억울하게 의심을 받거나 난처한 위치에 서게 됨을 이르는 말인 ② '烏飛梨落(오비이락)'이 어울린다.

**오답분석** ① 錦上添花(금상첨화): '비단 위에 꽃을 더한다'라는 뜻으로, 좋은 일 위에 또 좋은 일이 더하여짐을 비유적으로 이르는 말
③ 苦盡甘來(고진감래): '쓴 것이 다하면 단 것이 온다'라는 뜻으로, 고생 끝에 즐거움이 옴을 이르는 말
④ 一擧兩得(일거양득): 한 가지 일을 하여 두 가지 이익을 얻음

## 34

[2015년 서울시 9급]

다음 한자 성어 중 의미가 나머지 셋과 가장 다른 것은?

① 道聽塗說                ② 心心相印

③ 拈華微笑                ④ 以心傳心

## 35

[2015년 지방직 7급]

다음 글의 괄호 안에 들어갈 사자성어로 가장 적절한 것은?

> 내일 있을 한국시리즈는 시작 전부터 여러 사람의 관심을 끌고 있습니다. 결승에서 만난 두 팀의 감독이 예전에 한솥밥을 먹던 사이였기 때문입니다. A팀의 감독은 한때 B팀의 감독 밑에서 선수 생활을 했습니다. 그러나 A팀의 감독은 시합에서 양보는 절대 있을 수 없다는 결연한 의지를 밝혔습니다. 형만 한 아우가 없다는 말이 맞을지, (          )(이)라는 말이 맞을지, 내일의 경기 결과에 귀추가 주목됩니다.

① 管鮑之交                ② 犬猿之間

③ 靑出於藍                ④ 草綠同色

## 36

[2015년 서울시 7급]

다음 중 '불법(佛法)에 귀의한 사람들'이라는 의미를 가진 사자성어는?

① 匹夫匹婦                ② 樵童汲婦

③ 夫唱婦隨                ④ 善男善女

## 37

[2015년 사회복지직 9급]

다음 글에서 (     ) 안에 들어갈 말로 적절한 것은?

> 군주에게 환관이 있는 것은 노비의 역할을 위해서고, 조정에 신하가 있는 것은 사우(師友)의 역할을 위해서다. 노비에게서 구할 것은 심부름이고, 사우에게서 구할 것은 도덕이다. 그러므로 노비는 자신의 주인이 기뻐하고 노여워하는 것을 엿보아 알아차릴 줄 알아야 현명하다. 사우이면서 자신의 군주가 기뻐하고 노여워하는 데 (          )하는 것은 아첨이다. 사우는 과실을 바로잡아야 현명한 것이다.

① 勞心焦思                ② 附和雷同

③ 類類相從                ④ 面從腹背

## 38

[2015년 기상직 9급]

다음 글에 어울리는 고사성어로 가장 적절한 것은?

> 30년 가까이 한 우물을 판 한 기업의 최고경영자(CEO)가 '기업인 명예의 전당'에 이름을 올리게 되었다. 정 ○○ 대표가 창업한 △△ 산업은 1981년 창업 초기부터 염료 한 분야에 전력해 반응성 염료 분야에서 국내 1위, 세계 6위의 강자로 떠올랐다. 정 대표는 이날 본지와의 통화에서 "대학과 월급쟁이 시절을 포함하면 총 48년간 염료 생각만 하고 살았다."며 "오랜 시간 땀 흘리며 노력한 것을 인정받은 것 같아 뿌듯하다."라고 말했다.

① 與世推移                ② 功虧一簣

③ 犬馬之勞                ④ 愚公移山

**34** 난이도 ★★☆

해설 ① 나머지 셋과 의미가 다른 한자 성어는 ①'道聽塗說(도청도설)'이다.
  • 道聽塗說(도청도설): '길에서 듣고 길에서 말한다'라는 뜻으로, 길거리에 퍼져 돌아다니는 뜬소문을 이르는 말

오답분석 ② 心心相印(심심상인): 말없이 마음과 마음으로 뜻을 전함
③ 拈華微笑(염화미소): 말로 통하지 않고 마음에서 마음으로 전하는 일
④ 以心傳心(이심전심): 마음과 마음으로 서로 뜻이 통함

**35** 난이도 ★★☆

해설 ③ 제시문은 B팀의 감독 밑에서 선수 생활을 했던 A팀의 감독과, B팀의 감독이 시합을 하게 되었다는 내용이다. 이때 괄호 앞에 '형만 한 아우가 없다'라는 말이 제시되어 있으므로, 문맥상 괄호 안에는 이와 대비되는 말이 들어가야 한다. 따라서 '제자나 후배가 스승이나 선배보다 나음'을 뜻하는 ③ '青出於藍(청출어람)'이 적절하다.
  • 형만 한 아우 없다: 모든 일에 있어 아우가 형만 못하다는 말

오답분석 ① 管鮑之交(관포지교): '관중과 포숙의 사귐'이라는 뜻으로, 우정이 아주 돈독한 친구 관계를 이르는 말
② 犬猿之間(견원지간): '개와 원숭이의 사이'라는 뜻으로, 사이가 매우 나쁜 두 관계를 비유적으로 이르는 말
④ 草綠同色(초록동색): '풀빛과 녹색은 같은 빛깔'이라는 뜻으로, 같은 처지의 사람과 어울리는 것을 이르는 말

**36** 난이도 ★★★

해설 ④ '불법에 귀의한 사람들'을 뜻하는 말은 ④ '善男善女(선남선녀)'이다.
  • 善男善女(선남선녀): 1. '성품이 착한 남자와 여자'라는 뜻으로, 착하고 어진 사람들을 이르는 말 2. 곱게 단장을 한 남자와 여자를 이르는 말 3. 불법에 귀의한 남자와 여자를 이르는 말

오답분석 ① 匹未匹婦(필미필부): 사전에 등재되어 있지 않은 단어이다. 참고로, 평범한 남녀를 뜻하는 한자 성어는 '匹夫匹婦(필부필부)'이다.
② 樵童汲婦(초동급부): '땔나무를 하는 아이와 물을 긷는 아낙네'라는 뜻으로, 평범한 사람을 이르는 말
③ 夫唱婦隨(부창부수): 남편이 주장하고 아내가 이에 잘 따름. 또는 부부 사이의 그런 도리

**37** 난이도 ★★☆

해설 ② 마지막 문장 '사우는 과실을 바로잡아야 현명한 것이다'라는 내용을 고려할 때, 앞 문장에는 군주의 기분에 따라 움직이는 사우의 태도는 아첨이라는 내용이 들어가는 것이 자연스럽다. 따라서 괄호 안에는 '줏대 없이 남의 의견에 따라 움직임'을 뜻하는 ② '附和雷同(부화뇌동)'이 들어가는 것이 적절하다.
  • 사우(師友): 1. 스승과 벗을 아울러 이르는 말 2. 스승으로 삼을 만한 벗

오답분석 ① 勞心焦思(노심초사): 몹시 마음을 쓰며 애를 태움
③ 類類相從(유유상종): 같은 무리끼리 서로 사귐
④ 面從腹背(면종복배): 겉으로는 복종하는 체하면서 내심으로는 배반함

**38** 난이도 ★★☆

해설 ④ 한 기업가가 오랜 시간 동안 꾸준하게 노력하여 결실을 맺었다는 내용이므로 ④ '愚公移山'이 가장 적절하다.
  • 愚公移山(우공이산): '우공이 산을 옮긴다'라는 뜻으로, 어떤 일이든 계속해서 노력하면 반드시 이루어짐을 이르는 말

오답분석 ① 與世推移(여세추이): 세상이 바뀌는 대로 따라 변함
② 功虧一簣(공휴일궤): '산을 쌓아 올리는 데 한 삼태기의 흙을 게을리하여 완성을 보지 못한다'라는 뜻으로, 거의 이루어진 일을 중지하여 오랜 노력이 아무 보람도 없게 됨을 비유적으로 이르는 말
③ 犬馬之勞(견마지로): '개나 말 정도의 하찮은 힘'이라는 뜻으로, 윗사람에게 충성을 다하는 자신의 노력을 낮추어 이르는 말

## 39

[2014년 사회복지직 9급]

㉠~㉢에 들어갈 적절한 한자 성어끼리 바르게 묶인 것은?

> 엄밀히 말하면 그 같은 부동(浮動) 인구는 본래가 농민으로 보아야 할 것이다. ( ㉠ ) 땅을 찾아 간도로 만주로 떠났고 모집에 휩쓸리어 광산 등, 노동력을 팔러 일본으로 건너갔고 혹은 하와이에 농장 노예나 진배없는 그런 조건으로 이민 간 사람들, 나머지가 이곳의 부동 인구로 보아야 할 것이다. 조상 대대로 살던 땅에서 쫓겨나 산 설고 물 설은 남의 고장에서 그들의 처지가 나을 것도 없겠으나 소도시로 소읍으로 밀려나와 방황하는 무리의 참상 또한 ( ㉡ )인 것은 사실이다. 그들 무리를 살펴보건대 거리마다 밥 빌러 다니는 걸인들이 태반이요, 부두, 정거장, 여관, 저잣거리에는 팔짱 낀 지게꾼이 그리운 님 기다리듯 짐을 기다리는 광경이 그들의 형편이었다. 일본인 왈, 조선인은 게으르다, 조선에는 웬 거지가 이리 많으냐, 그 실정은 누구보다 잘 알고 있을 총독부에 가서 물어볼 일이다. ( ㉢ )에 항거하는 민란도 수없이 있었지만 조선조 오백 년, 나라에서는 공전(公田)이라 하며 농민으로부터 땅을 걷어들인 일은 거의 없었고 설사 걷어들였다 한들 결국 조선 백성이 경작하기 마련, 사유지의 경우도 땅문서라는 것이 애매모호했으나 땅문서 이상으로 윤리 도덕이 견고하여 남의 땅을 도적질하는 일은 없었다.
> - 박경리, '토지'

|   | ㉠ | ㉡ | ㉢ |
|---|---|---|---|
| ① | 男負女戴 | 目不忍見 | 苛斂誅求 |
| ② | 男負女戴 | 苛斂誅求 | 目不忍見 |
| ③ | 苛斂誅求 | 男負女戴 | 目不忍見 |
| ④ | 苛斂誅求 | 目不忍見 | 男負女戴 |

## 40

[2014년 지방직 9급 (6월)]

밑줄 친 '마'의 뜻이 다른 하나는?

① 마이동풍
② 주마간산
③ 천고마비
④ 절차탁마

## 41

[2014년 지방직 9급 (10월)]

다음 상황에 가장 가까운 표현은?

> A 회사는 새로운 항암제를 개발하여 이 약의 임상 효과에 대한 연구를 B 연구소에 의뢰하였다. B 연구소는 이 약이 뚜렷한 항암 효과가 있다는 결론을 얻지 못했지만, A 회사로부터 연구비를 계속 받기 위해서 연구 결과를 A 회사에 유리하게 포장하여 발표하였다.

① 교학상장(教學相長)
② 곡학아세(曲學阿世)
③ 조삼모사(朝三暮四)
④ 지록위마(指鹿爲馬)

## 42

[2014년 국가직 9급]

밑줄 친 한자 성어의 쓰임이 옳지 않은 것은?

① 황제는 논공행상(論功行賞)을 통해 그의 신하를 벌하였다.
② 그들은 산야를 떠돌며 초근목피(草根木皮)로 목숨을 이어 나갔다.
③ 부모를 반포지효(反哺之孝)로 모시는 것은 자식의 마땅한 도리이다.
④ 오늘의 영광은 각고면려(刻苦勉勵)의 결과이다.

## 39

난이도 ★★☆

**해설** ① ㉠~㉢에는 '**男負女戴**(남부여대), **目不忍見**(목불인견), **苛斂誅求**(가렴주구)'가 순서대로 들어가는 것이 적절하다.

㉠ 사람들이 땅을 찾아 간도, 만주, 일본, 하와이 등지로 떠돌아다니는 상황에 적절한 한자 성어는 '**男負女戴**(남부여대)'이다.

- **男負女戴**(남부여대): '남자는 지고 여자는 인다'라는 뜻으로, 가난한 사람들이 살 곳을 찾아 이리저리 떠돌아다님을 비유적으로 이르는 말

㉡ 괄호 앞의 '방황하는 무리의 참상'을 설명하기에 적절한 한자 성어는 '**目不忍見**(목불인견)'이다.

- **目不忍見**(목불인견): 눈앞에 벌어진 상황 등을 눈 뜨고는 차마 볼 수 없음

㉢ 백성들이 난을 일으켜 일제에 항거하는 이유로 적절한 것은 '**苛斂誅求**(가렴주구)'이다.

- **苛斂誅求**(가렴주구): 세금을 가혹하게 거두어들이고, 무리하게 재물을 빼앗음

## 40

난이도 ★★☆

**해설** ④ '절차탁마(切磋琢磨)'의 '마'는 '磨(갈 마)'이다. 그리고 ① '마이동풍(馬耳東風)', ② '주마간산(走馬看山)', ③ '천고마비(天高馬肥)'의 '마'는 모두 '馬(말 마)'이므로 '마'의 뜻이 다른 하나는 ④이다.

- 절차탁마(切磋琢磨): '옥이나 돌을 갈고 닦아서 빛을 낸다'라는 뜻으로, 부지런히 학문과 덕행을 닦음을 이르는 말

**오답분석** ① 마이동풍(馬耳東風): '동풍이 말의 귀를 스쳐 간다'라는 뜻으로, 남의 말을 귀담아듣지 않고 지나쳐 흘려버림을 이르는 말

② 주마간산(走馬看山): '말을 타고 달리며 산천을 구경한다'라는 뜻으로, 자세히 살피지 않고 대충대충 보고 지나감을 이르는 말

③ 천고마비(天高馬肥): '하늘이 높고 말이 살찐다'라는 뜻으로, 하늘이 맑아 높푸르게 보이고 온갖 곡식이 익는 가을철을 이르는 말

## 41

난이도 ★★☆

**해설** ② B 연구소가 A 회사로부터 연구비를 받기 위해 연구 결과를 A 회사에 유리하게 포장하여 발표하였으므로, '바른 길에서 벗어난 학문으로 세상 사람에게 아첨함'을 뜻하는 ② '곡학아세(曲學阿世)'가 제시된 상황과 가장 가깝다.

**오답분석** ① 교학상장(教學相長): '가르치고 배움으로써 성장한다'라는 뜻으로, 사람을 가르치거나 선생에게 배우는 일 모두가 자신의 학업을 나아지게 함을 이르는 말

③ 조삼모사(朝三暮四): 간사한 꾀로 남을 속여 희롱함을 이르는 말

④ 지록위마(指鹿爲馬): 1. 윗사람을 농락하여 권세를 마음대로 함을 이르는 말 2. 모순된 것을 끝까지 우겨서 남을 속이려는 짓을 비유적으로 이르는 말

**이것도 알면 합격**

'지록위마(指鹿爲馬)'의 유래를 알아두자.

중국 진(秦)나라 때 실권을 장악했던 환관 조고(趙高)가 자신의 권세를 시험하여 보고자 황제 호해(胡亥)에게 사슴을 바치면서 이렇게 말했다. "폐하, 말을 바치오니 거두어 주시오소서." 이에 호해는 "농담도 잘하시오. 사슴을 가지고 말이라고 하다니(指鹿爲馬). 어떻소? 그대들 눈에도 말로 보이오?"라고 말하며 좌우의 신하들을 둘러보았다. 잠자코 있는 사람보다 '그렇다'고 긍정하는 사람이 많았으나 '아니다'라고 부정하는 사람도 있었다. 조고는 부정한 사람을 기억해 두었다가 나중에 죄를 씌워 죽여 버렸다. 그 후 궁중에는 조고의 말에 반대하는 사람이 하나도 없었다고 한다.

## 42

난이도 ★★☆

**해설** ① 신하를 벌했다는 내용과 '공적의 크고 작음 등을 논의하여 그에 알맞은 상을 줌'을 뜻하는 '논공행상(論功行賞)'이 어울리지 않으므로, ①은 한자 성어의 쓰임이 옳지 않다.

**오답분석** ② 초근목피(草根木皮): '풀뿌리와 나무껍질'이라는 뜻으로, 맛이나 영양 가치가 없는 거친 음식을 비유적으로 이르는 말

③ 반포지효(反哺之孝): '까마귀 새끼가 자라서 늙은 어미에게 먹이를 물어다 주는 효(孝)'라는 뜻으로, 자식이 자란 후에 어버이의 은혜를 갚는 효성을 이르는 말

④ 각고면려(刻苦勉勵): 어떤 일에 고생을 무릅쓰고 몸과 마음을 다하여, 무척 애를 쓰면서 부지런히 노력함

## 1. 한자어의 표기

### 01

[2021년 국가직 9급]

한자 표기가 옳은 것은?

① 그분은 냉혹한 현실(現室)을 잘 견뎌 냈다.
② 첫 손님을 야박(野薄)하게 대해서는 안 된다.
③ 그에게서 타고난 승부 근성(謹性)이 느껴진다.
④ 그는 평소 희망했던 기관에 채용(債用)되었다.

### 02

[2020년 국가직 9급]

㉠~㉣의 한자 표기로 옳은 것은?

> 과학사를 들춰 보면 기존의 학문 체계에 ㉠도전했다 가 낭패를 본 인물들의 이야기를 자주 만날 수 있다. 대 표적인 인물이 천동설을 부정하고 지동설을 주장한 갈 릴레이이다. 천동설을 ㉡지지하던 당시의 권력층은 그 들의 막강한 힘을 이용하여 갈릴레이를 신의 권위에 도 전하는 이단자로 욕하고 목숨까지 위협했다. 갈릴레이 가 영원한 ㉢침묵을 ㉣맹세하지 않고 계속 지동설을 주장했더라면 그는 단두대의 이슬로 사라졌을지도 모 른다.

① ㉠逃戰
② ㉡持地
③ ㉢浸黙
④ ㉣盟誓

### 03

[2020년 서울시 9급]

〈보기〉의 ㉠~㉢에 들어갈 알맞은 낱말끼리 짝지은 것은?

> ───── 〈보기〉 ─────
>
> 물속에 잠긴 막대기는 굽어 보이지만 실제로 굽은 것 은 아니다. 이때 나무가 굽어 보이는 것은 우리의 착각 때문도 아니고 눈에 이상이 있기 때문도 아니다. 나무는 정말 굽어 보이는 것이다. 분명히 굽어 보인다는 점과 사 실은 굽지 않았다는 점 사이의 ( ㉠ )은 빛의 굴절 이 론을 통해서 해명된다.
>
> 굽어 보이는 나무도 우리의 직접적 경험을 통해서 주 어지는 하나의 현실이고, 실제로는 굽지 않은 나무도 하 나의 현실이다. 전자를 우리는 사물이나 사태의 보임새, 즉 ( ㉡ )이라고 부르고, 후자를 사물이나 사태의 참모 습, 즉 ( ㉢ )이라고 부른다.

|   | ㉠ | ㉡ | ㉢ |
|---|----|----|----|
| ① | 葛藤 | 現象 | 本質 |
| ② | 葛藤 | 假象 | 根本 |
| ③ | 矛盾 | 現象 | 本質 |
| ④ | 矛盾 | 假象 | 根本 |

### 04

[2020년 지방직 7급]

㉠, ㉡의 한자 표기로 옳은 것은?

> ○ ㉠간발의 차이로 비행기를 놓쳤다.
> ○ 그의 실력은 장인의 실력에 ㉡비견될 만하다.

|   | ㉠ | ㉡ |
|---|----|----|
| ① | 間髮 | 批腑 |
| ② | 簡拔 | 比房 |
| ③ | 間髮 | 比肩 |
| ④ | 簡拔 | 批腑 |

✓ **챕터별 출제 경향**
[2015-2021 국가직 / 지방직 / 서울시 7·9급]

한자어
32%　　　　　　　47%　　16%　5%
한자 성어　　　　　　　　　　　　　　고유어
　　　　　　　　　　　　한자어와 고유어의 대응

## 01
난이도 ★★★

**[해설]** ② 한자 표기가 옳은 것은 ②이다.
- 野薄(들 야, 엷을 박): 야멸치고 인정이 없음

**[오답분석]** ① 現室(나타날 현, 집 실)(×) → 現實(나타날 현, 열매 실)(○): '현재 실제로 존재하는 사실이나 상태'를 뜻하는 '현실'의 '실'은 '實(열매 실)'을 쓴다.
③ 謹性(삼갈 근, 성품 성)(×) → 根性(뿌리 근, 성품 성)(○): '뿌리가 깊게 박힌 성질'을 뜻하는 '근성'의 '근'은 '根(뿌리 근)'을 쓴다.
④ 債用(빚 채, 쓸 용)(×) → 採用(캘 채, 쓸 용)(○): '사람을 골라서 씀'을 뜻하는 '채용'의 '채'는 '採(캘 채)'를 쓴다.
- 債用(빚 채, 쓸 용): 돈이나 물건 등을 빌려서 씀

## 02
난이도 ★★☆

**[해설]** ④ 한자 표기가 옳은 것은 ④ ㄹ '盟誓(맹세)'이다.
- 盟誓(맹세 맹, 맹세할 서): 일정한 약속이나 목표를 꼭 실천하겠다고 다짐함

**[오답분석]** ① ㄱ 逃戰(도망할 도, 싸움 전)(×) → 挑戰(돋울 도, 싸움 전)(○): '정면으로 맞서 싸움을 걺'을 뜻하는 '도전'의 '도'는 '挑(돋울 도)'를 써야 한다.
② ㄴ 持地(가질 지, 땅 지)(×) → 支持(지탱할 지, 가질 지)(○): '어떤 사람이나 단체 등의 주의 · 정책 · 의견 등에 찬동하여 이를 위하여 힘을 씀'을 뜻하는 '지지'는 각각 '支(지탱할 지)'와 '持(가질 지)'로 써야 한다.
③ ㄷ 浸黙(잠길 침, 묵묵할 묵)(×) → 沈默(잠길 침, 묵묵할 묵)(○): '아무 말도 없이 잠잠히 있음. 또는 그런 상태'를 뜻하는 '침묵'의 '침'은 '沈(잠길 침)'을 써야 한다. 참고로 '沈(잠길 침)'과 '浸(잠길 침)'은 형태는 다르나 뜻이 같은 이체자(이형동의자)이다.

## 03
난이도 ★★★

**[해설]** ③ ㄱ 앞에서는 물속에 잠긴 나무 막대기가 굽어 보이지만 실제로는 굽지 않은 사실에 대해 말하고 있다. 이렇듯 이치상 상반되는 내용을 언급하고 있으므로 ㄱ에는 '矛盾(모순)'이 들어가는 것이 적절하다. 또한 ㄴ에는 '사물이나 사태의 보임새'를 뜻하는 단어인 '現象(현상)'이 들어가야 하며 ㄷ에는 '사물이나 사태의 참모습'을 뜻하는 단어인 '本質(본질)'이 들어가야 한다.
- ㄱ 矛盾(모순: 창 모, 방패 순): 어떤 사실의 앞뒤, 또는 두 사실이 이치상 어긋나서 서로 맞지 않음을 이르는 말
- ㄴ 現象(현상: 나타날 현, 코끼리 상): 인간이 지각할 수 있는, 사물의 모양과 상태
- ㄷ 本質(본질: 근본 본, 바탕 질): 본디부터 가지고 있는 사물 자체의 성질이나 모습

**[오답분석]**
- 葛藤(갈등: 칡 갈, 등나무 등): 칡과 등나무가 서로 얽히는 것과 같이, 개인이나 집단 사이에 목표나 이해관계가 달라 서로 적대시하거나 충돌함. 또는 그런 상태
- 假象(가상: 거짓 가, 코끼리 상): 주관적으로는 실제 있는 것처럼 보이나 객관적으로는 존재하지 않는 거짓 현상
- 根本(근본: 뿌리 근, 근본 본): 사물의 본질이나 본바탕

## 04
난이도 ★★☆

**[해설]** ③ ㄱ, ㄴ은 각각 '間髮', '比肩'으로 표기하므로 답은 ③이다.
- ㄱ 間髮(간발: 사이 간, 터럭 발): 아주 잠시 또는 아주 적음을 이르는 말
- ㄴ 比肩(비견: 견줄 비, 어깨 견): 서로 비슷한 위치에서 견줌. 또는 견주어짐

**[오답분석]** ㄱ 簡拔(간발: 대쪽 간, 뽑을 발): 여러 사람 가운데 골라 뽑음
ㄴ 批(비평할 비), 腑(육부 부), 房(방 방)

## 05

[2020년 군무원 9급]

**밑줄 친 부분의 한자어로 적절하지 않은 것은?**

코로나가 갖고 온 변화는 ㉠침체된 것처럼 보이는 삶 - ㉡위축된 경제와 단절된 관계와 불투명한 미래까지 - 에서부터 일상의 작은 규칙들, 마스크를 쓰고 손을 씻고 사회적 거리두기를 하는 것 등 삶의 전반에 크고 작은 영향을 끼쳤다. 그것이 우리 눈앞에 펼쳐진 코로나 이후의 맞닥뜨린 냉혹한 현실이지만 반대급부도 분명 존재한다. 가만히 들여다보면 차가운 현실의 이면에는 분명 또 다른 내용의 속지가 숨겨져 있다. 코로나로 인해 '국가의 감염병 예방 시스템이 새롭게 정비되고 ㉢방역 의료 체계가 발전하고 환경오염이 줄고'와 같은 거창한 것은 ㉣차치하고라도 당장, 홀로 있음의 경험을 통해서 내 자신의 마음 들여다보기가 가능해졌다.

① ㉠沈滯

② ㉡萎縮

③ ㉢紡疫

④ ㉣且置

## 06

[2020년 군무원 7급]

**밑줄 친 ㉠, ㉡, ㉢을 한자로 바르게 바꾼 것은?**

문인(文人)들이 흔히 대단할 것도 없는 신변잡사(身邊雜事)를 즐겨 쓰는 이유가 무엇인가. 인생의 편모(片貌)와 생활의 정회(情懷)를 새삼 느꼈기 때문이다. 속악(俗惡)한 시정잡사(市井雜事)도 때로는 꺼리지 않고 쓰려는 것은 무슨 까닭인가. 인생의 모순과 사회의 ㉠부조리를 여기서 뼈아프게 느꼈기 때문이다.

자연은 자연 그대로의 자연이 아니요. 내 프리즘으로 통하여 재생된 자연인 까닭에 새롭고, 자신은 주관적인 자신이 아니요 ㉡응시해서 얻은 객관적인 자신일 때 하나의 인간상으로 떠오르는 것이다. 감정은 ㉢여과된 감정이라야 아름답고, 사색은 발효된 사색이라야 정이 서리나니, 여기서 비로소 사소하고 잡다한 모든 것이 모두 다 글이 되는 것이다.

| | ㉠ | ㉡ | ㉢ |
|---|---|---|---|
| ① | 不條理 | 凝視 | 濾過 |
| ② | 不條理 | 鷹視 | 勵果 |
| ③ | 否條理 | 凝視 | 勵果 |
| ④ | 否條理 | 鷹視 | 濾過 |

## 07

[2020년 군무원 7급]

**㉠~㉣의 한자어가 적절하지 않은 것은?**

철학자 쇼펜하우어는 세상의 모든 책을 별에 비유하여 세 가지로 구분했다. 언제나 그 자리를 지키며 다른 별들의 중심이 되어 주는 ㉠항성 같은 책이 있는가 하면, 항성 주위의 궤도를 규칙적으로 도는 ㉡행성 같은 책이나 잠시 반짝 나타났다가 금방 사라져 버리는 ㉢유성 같은 책도 있다는 것이다. 항성과 행성은 언제나 밤하늘을 지키지만, 유성은 휙 소리를 내며 은하계의 어느 한 구석으로 자취를 감추어 버린다. ㉣북극성이 길 잃은 사람에게 방향을 제시하듯 항성과 같은 책은 삶의 영원한 길잡이가 되지만, 반짝하고 나타나는 유성은 한순간의 즐거움만 제공하고 허무하게 사라진다.

우리 주변에는 유성 같은 책들이 지천으로 굴러다니고 있지만, 항성 같은 책은 점차 자취를 감추고 있다. 좋은 책은 세상살이의 일반성에 관한 이해를 넓혀 주는 동시에 개인적 삶의 특수성까지도 풍부하게 해 준다. 그런 이해와 해석이 아예 없거나 미약한, 고만고만한 수준의 책들만 거듭 읽다 보면 잡다한 상식은 늘어날지 몰라도 이 세상과 자기 자신에 대한 깊이 있는 파악은 멀어지고 만다. 그렇고 그런 수준의 유성 같은 책은 아무리 많이 읽어도 삶의 깊이와 두께는 늘 제자리걸음이다. 세상과 인생의 문제를 상투적인 시선으로 바라보고 뻔한 해결책을 제시하는 그렇고 그런 책들은 옆으로 치워 놓고, 변화하는 세상과 그 속에 숨은 삶의 본질을 꿰뚫어 보는 좋은 책들을 찾아내야 한다.

① ㉠亢星

② ㉡行星

③ ㉢流星

④ ㉣北極星

## 08

[2019년 서울시 7급 (10월)]

**〈보기〉의 ㉠~㉣의 한자 표기로 옳지 않은 것은?**

〈보기〉

'꼭두쇠'는 남사당패의 우두머리를 말한다. 꼭두쇠는 남사당패에서 절대적인 권력을 가진 존재이다. 단원 가운데 ㉠규율을 어긴 단원에 대해 형벌을 명령하는 것도 꼭두쇠이다. 꼭두쇠가 ㉡노쇠하여 역할을 제대로 할 수 없거나 단원들의 신임을 잃게 되면 단원들의 ㉢추대로 새로운 꼭두쇠를 ㉣선출한다.

① ㉠ - 規律

② ㉡ - 老衰

③ ㉢ - 推戴

④ ㉣ - 先出

**05** 난이도 ★★★

**해설** ③ⓒ **紡疫**(방역)(×) → **防疫**(방역)(○): 문맥상 '전염병이 발생하거나 유행하는 것을 미리 막는 일'이라는 의미를 가진 '**防疫**(방역)'으로 고쳐 써야 한다. 참고로 '**紡疫**(방역)'이라는 단어는 존재하지 않는다.

- **防疫**(막을 방, 전염병 역): 전염병이 발생하거나 유행하는 것을 미리 막는 일
- **紡**(길쌈 방)

**오답분석** ①ⓐ **沈滯**(잠길 침, 막힐 체): 어떤 현상이나 사물이 진전하지 못하고 제자리에 머무름

②ⓑ **萎縮**(시들 위, 줄일 축): 어떤 힘에 눌려 졸아들고 기를 펴지 못함

④ⓒ **且置**(또 차, 둘 치): 내버려 두고 문제 삼지 않음

**06** 난이도 ★★★

**해설** ① 한자어의 표기로 가장 옳은 것은 ①이다.

- ⓐ **不條理**(부조리: 아닐 부, 가지 조, 다스릴 리): 이치에 맞지 않거나 도리에 어긋남. 또는 그런 일
- ⓑ **凝視**(응시: 엉길 응, 볼 시): 눈길을 모아 한 곳을 똑바로 바라봄
- ⓒ **濾過**(여과: 거를 여, 지날 과): 주로 부정적인 요소를 걸러 내는 과정을 비유적으로 이르는 말

**오답분석** ⓐ **否**(아닐 부)

ⓑ **鷹視**(응시: 매 응, 볼 시): 매처럼 날카롭게 노려봄

ⓒ **勵果**(여과: 힘쓸 여, 실과 과): 조선 시대에 둔, 토관직(土官職)의 정육품 무관 벼슬

**07** 난이도 ★★★

**해설** ①ⓐ **尤星**(높을 항, 별 성)(×) → **恒星**(항상 항, 별 성)(○): '천구 위에서 서로의 상대 위치를 바꾸지 않고 별자리를 구성하는 별'을 뜻하는 '항성'은 '**恒星**'으로 표기해야 한다. 참고로 '**尤星**'은 '이십팔수의 둘째 별자리에 있는 별들'을 뜻한다.

**오답분석** ②ⓑ **行星**(다닐 행, 별 성)(○): 중심 별의 강한 인력의 영향으로 타원 궤도를 그리며 중심 별의 주위를 도는 천체

③ⓒ **流星**(흐를 유, 별 성)(○): 지구의 대기권 안으로 들어와 빛을 내며 떨어지는 작은 물체

④ⓓ **北極星**(북녘 북, 극진할 극, 별 성): 작은곰자리에서 가장 밝은 별. 천구(天球)의 북극 가까이에 있고 위치가 거의 변하지 않아, 방위나 위도의 지침이 된다.

**08** 난이도 ★★☆

**해설** ④ 선출(先出: 먼저 선, 날 출)(×) → 선출(選出: 가릴 선, 날 출)(○): 문맥상 ⓓ '선출'은 '여럿 가운데서 골라냄'을 뜻하고, 이때 '선출'의 '선'은 '選(가릴 선)'을 쓴다. 따라서 한자 표기가 옳지 않은 것은 ④이다. 참고로 '선출(先出)'은 '과일, 푸성귀, 해산물 등에서 그해의 맨 처음에 나는 것'을 뜻한다.

**오답분석** ① 규율(規律: 법 규, 법칙 율): 질서나 제도를 유지하기 위하여 정해 놓은 행동의 준칙이 되는 본보기

② 노쇠(老衰: 늙을 노, 쇠할 쇠): 늙어서 쇠약하고 기운이 별로 없음

③ 추대(推戴: 밀 추, 일 대): 윗사람으로 떠받듦

## 09
[2019년 지방직 9급]

밑줄 친 부분의 한자 표기가 잘못된 것은?

① 그는 여러 차례 TV 출연으로 유명세(有名勢)를 치렀다.

② 누가 먼저 할 것인지 복불복(福不福)으로 정하기로 했다.

③ 긴박한 상황이라 대증요법(對症療法)을 쓸 수밖에 없었다.

④ 사건의 경위(經緯)는 알 수 없지만, 결과만 본다면 우리에게 유리하다.

## 10
[2019년 국가직 7급]

㉠~㉣의 한자 표기로 옳은 것은?

> 기호를 기표와 기의의 결합으로 보는 것은 언어학의 ㉠공리이다. 그리고 그 결합이 ㉡자의적이라는 점 또한 널리 알려진 ㉢상식이다. 그러나 음성 상징어로 총칭되는 의성어와 의태어는 여기에서 예외로 간주되곤 한다. 즉 의성어와 의태어는 기표와 기의 사이의 ㉣연관성을 보여 주는 사례이다.

① ㉠共理

② ㉡自意的

③ ㉢常識

④ ㉣緣關性

## 11
[2018년 국가직 7급]

㉠~㉣ 중 한자의 표기가 옳은 것만을 모두 고르면?

> 프레젠테이션이란 여러 사람 앞에서 자신의 생각이나 의견 또는 어떤 사실에 대해서 시각 자료를 활용하여 ㉠陳迹하는 말하기를 가리킨다. 프레젠테이션은 조사한 내용을 ㉡設明하거나 새로운 아이디어를 보고하는 등 정보 공유의 효과적인 수단으로 널리 ㉢使用되고 있다. 최근 들어 핵심적인 정보를 짧은 시간 내에 효과적으로 ㉣制視하는 프레젠테이션 능력이 더욱 중시되고 있다.

① ㉠, ㉡

② ㉠, ㉢

③ ㉡, ㉣

④ ㉢, ㉣

## 12
[2020년 국회직 8급]

밑줄 친 ㉠~㉣의 한자어 표기가 모두 옳은 것은?

> ㉠대장부가 세상에 나서 공맹을 본받지 못할 바에야, 차라리 병법이라도 익혀 대장인을 허리춤에 비스듬히 차고 ㉡동정서벌하여 나라에 큰 공을 세우고 이름을 만대에 빛내는 것이 장부의 통쾌한 일이 아니겠는가. 나는 어찌하여 일신이 적막하고, 부형이 있는데도 아버지를 아버지라 부르지 못하고 형을 형이라 부르지 못하니 ㉢심장이 터질지라, 이 어찌 ㉣통탄할 일이 아니겠는가!

| | ㉠ | ㉡ | ㉢ | ㉣ |
|---|---|---|---|---|
| ① | 大將夫 | 東征西伐 | 心臟 | 通歎 |
| ② | 大將夫 | 東征西罰 | 心臟 | 痛歎 |
| ③ | 大丈夫 | 東征西罰 | 深藏 | 痛歎 |
| ④ | 大丈夫 | 東征西伐 | 深藏 | 通歎 |
| ⑤ | 大丈夫 | 東征西伐 | 心臟 | 痛歎 |

## 13
[2019년 지방직 7급]

㉠~㉣의 한자 표기가 모두 옳은 것은?

> 태어날 때 자기의 얼굴을 선택할 수 있는 사람은 없다. 얼굴은 부모님한테서 선물로 받은 것이기 때문이다. 얼굴은 재주나 체질과 마찬가지로 ㉠운명적으로 결정된 것이다. 누구나 맑고 아름다운 얼굴을 갖기를 원한다. 다른 사람에게 호감을 주지 못하는 얼굴을 바라는 사람은 아마 없을 것이다. 톨스토이의 ㉡자서전적·작품을 읽어 보면, 젊었을 때 자기의 코가 넓적하고 보기 흉한 것을 무척 비관해서 ㉢염세적이 되었다는 이야기가 나온다. 얼굴의 근본 바탕은 세상에 태어날 때 운명적으로 결정되지만, ㉣성실한 노력에 따라서는 내면을 드러내는 인상이 바뀔 수 있다.

| | ㉠ | ㉡ | ㉢ | ㉣ |
|---|---|---|---|---|
| ① | 殞命 | 自書傳 | 厭世的 | 成實 |
| ② | 運命 | 自書傳 | 鹽稅的 | 成實 |
| ③ | 殞命 | 自敍傳 | 鹽稅的 | 誠實 |
| ④ | 運命 | 自敍傳 | 厭世的 | 誠實 |

**09** 난이도 ★★★

해설 ① 밑줄 친 부분의 한자 표기가 잘못된 것은 ①이다.
- **有名勢**(있을 유, 이름 명, 형세 세)(×) → **有名稅**(있을 유, 이름 명, 세금 세)(○): 세상에 이름이 널리 알려져 있는 탓으로 당하는 불편이나 곤욕을 속되게 이르는 말

오답분석 ② **福不福**(복 복, 아닐 불, 복 복)(○): 복분(福分)의 좋고 좋지 않음이라는 뜻으로, 사람의 운수를 이르는 말
③ **對症療法**(대할 대, 증세 증, 고칠 요, 법 법)(○): 병의 원인을 찾아 없애기 곤란한 상황에서, 겉으로 나타난 병의 증상에 대응하여 처치를 하는 치료법
④ **經緯**(지날 경, 씨 위)(○): 일이 진행되어 온 과정

**10** 난이도 ★★★

해설 ③ 한자 표기가 옳은 것은 ③ '**常識**(상식)'이다.
- **常識**(항상 상, 알 식): 사람들이 보통 알고 있거나 알아야 하는 지식

오답분석 ① **共理**(한가지 공, 다스릴 리)(×) → **公理**(공평할 공, 다스릴 리)(○): 일반 사람과 사회에서 두루 통하는 진리나 도리
② **自意的**(스스로 자, 뜻 의, 과녁 적)(×) → **恣意的**(마음대로 자, 뜻 의, 과녁 적)(○): 일정한 질서를 무시하고 제멋대로 하는 것
④ **緣關性**(인연 연, 관계할 관, 성품 성)(×) → **聯關性**(연이을 연, 관계할 관, 성품 성)(○): 사물이나 현상이 일정한 관계를 맺는 특성이나 성질

**11** 난이도 ★★★

해설 ② ㉠~㉣ 중 한자의 표기가 옳은 것은 ㉠ '**陳述**', ㉢ '**使用**'이다.
- ㉠ **陳述**(진술: 베풀 진, 펼 술): 일이나 상황에 대하여 자세하게 이야기함
- ㉢ **使用**(사용: 하여금 사, 쓸 용): 일정한 목적이나 기능에 맞게 씀

오답분석 ㉡ **設明**(설명: 베풀 설, 밝을 명)(×) → **說明**(설명: 말씀 설, 밝을 명)(○): 어떤 일이나 대상의 내용을 상대편이 잘 알 수 있도록 밝혀 말함
㉣ **制視**(제시: 절제할 제, 볼 시)(×) → **提示**(제시: 끌 제, 보일 시)(○): 어떠한 의사를 말이나 글로 나타내어 보임

**12** 난이도 ★★☆

해설 ⑤ ㉠~㉣은 각각 '**大丈夫, 東征西伐, 心臟, 痛歎**'로 표기하므로 답은 ⑤이다.
- ㉠ **大丈夫**(큰 대, 어른 장, 지아비 부): 건장하고 씩씩한 사내
- ㉡ **東征西伐**(동녘 동, 칠 정, 서녘 서, 칠 벌): '동쪽을 정복하고 서쪽을 친다'라는 뜻으로, 이리저리로 여러 나라를 정벌함을 이르는 말
- ㉢ **心臟**(마음 심, 오장 장): 마음을 비유적으로 이르는 말
- ㉣ **痛歎**(아플 통, 탄식할 탄): 몹시 탄식함. 또는 그런 탄식

오답분석 ㉠ **將**(장수 장)
㉡ **罰**(벌할 벌)
㉢ **深藏**(깊을 심, 감출 장): 물건 등을 깊이 감추어 둠. 또는 그런 물건
㉣ **通**(통할 통)

**13** 난이도 ★★☆

해설 ④ ㉠~㉣은 각각 '**運命, 自敍傳, 厭世的, 誠實**'로 표기하므로 답은 ④이다.
- ㉠ **運命**(운명: 옮길 운, 목숨 명): 인간을 포함한 모든 것을 지배하는 초인간적인 힘. 또는 그것에 의하여 이미 정하여져 있는 목숨이나 처지
- ㉡ **自敍傳**(자서전: 스스로 자, 펼 서, 전할 전): 작자 자신의 일생을 소재로 스스로 짓거나, 남에게 구술하여 쓰게 한 전기
- ㉢ **厭世的**(염세적: 싫어할 염, 인간 세, 과녁 적): 세상을 싫어하고 모든 일을 어둡고 부정적인 것으로 보는 것
- ㉣ **誠實**(성실: 정성 성, 열매 실): 정성스럽고 참됨

오답분석 ㉠ **殞命**(운명: 죽을 운, 목숨 명): 사람의 목숨이 끊어짐
㉡ **書**(글 서)
㉢ **鹽**(소금 염), **稅**(세금 세)
㉣ **成實**(성실: 이룰 성, 열매 실): 곡식 등이 다 자라서 열매를 맺음

## 14
[2018년 국회직 8급]

**다음 중 밑줄 친 부분의 한자 표기가 옳지 않은 것은?**

① 좀 더 넓은 堅持에서는 더불어 살아가는 여러 사람들의 입장을 존중해야 한다.

② 개개의 인간이 모여 하나의 集團을 이룬다.

③ 혈연 중심의 가족 집단을 넘어 사회를 形成하게 된다.

④ 인간에게 사회는 實體 이상의 의미를 지닌다.

⑤ 그러한 사회를 움직이게 하는 要素 혹은 요인은 무엇일까?

## 15
[2018년 국가직 9급]

**밑줄 친 한자어의 쓰임이 문맥상 적절한 것은?**

① 초고를 校訂하여 책을 완성하였다.

② 내용이 올바른지 서로 交差 검토하시오.

③ 전자 문서에 決濟를 받아 합격자를 확정하겠습니다.

④ 지금 제안한 계획은 수용할 수 없으니 提高 바랍니다.

## 16
[2018년 지방직 9급]

**㉠, ㉡에 들어갈 한자를 순서대로 바르게 나열한 것은?**

> ○ 근무 여건이 개선( ㉠ )되자 업무 효율이 크게 올랐다.
> ○ 금융 당국은 새로운 통화( ㉡ ) 정책을 제안하였다.

|  | ㉠ | ㉡ |
|---|---|---|
| ① | 改善 | 通貨 |
| ② | 改選 | 通話 |
| ③ | 改善 | 通話 |
| ④ | 改選 | 通貨 |

## 17
[2018년 국회직 8급]

**다음 중 밑줄 친 한자어의 표기가 옳지 않은 것은?**

① 그는 황제를 알현(謁見)했다.

② 역사상 여러 나라가 내홍(內訌)으로 패망하였다.

③ 그 노래는 누가 작사(詐詞)했는지 의견이 분분하다.

④ 이번 사건은 과거의 잘못을 상쇄(相殺)한 셈이었다.

⑤ 나도 무론(毋論) 힘쓰겠지만, 너도 단단히 준비해라.

## 18
[2018년 경찰직 1차]

**밑줄 친 단어를 한자로 표기한 것으로 모두 적절한 것은?**

> 집에 오래 지탱할 수 없이 퇴락한 행랑채 세 칸이 있어서 나는 부득이 그것을 모두 수리하게 되었다. 이때 앞서 그중 두 칸은 비가 샌 지 오래되었는데, 나는 그것을 알고도 어물어물하다가 미처 수리하지 못하였고, 다른 한 칸은 한 번밖에 비를 맞지 않았기 때문에 급히 기와를 갈게 하였다.
> 그런데 수리하고 보니, 비가 샌 지 오래된 것은 서까래, 추녀, 기둥, 들보가 모두 썩어서 못 쓰게 되었으므로 경비가 많이 들었고, 한 번밖에 비를 맞지 않은 것은 재목들이 모두 완전하여 다시 쓸 수 있었기 때문에 경비가 적게 들었다. 나는 여기에서 이렇게 생각한다. 사람의 몸에 있어서도 역시 마찬가지이다. 잘못을 알고서도 곧 고치지 않으면 몸의 ㉠패망하는 것이 나무가 썩어서 못 쓰게 되는 이상으로 될 것이고, 잘못이 있더라도 고치기를 꺼려하지 않으면 다시 좋은 사람이 되는 것이 집 재목이 다시 쓰일 수 있는 이상으로 될 것이다. 이뿐만 아니라, 나라의 ㉡정사도 이와 마찬가지다. 모든 일에 있어서, 백성에게 심한 해가 될 것을 머뭇거리고 ㉢개혁하지 않다가, 백성이 못살게 되고 나라가 위태하게 된 뒤에 갑자기 변경하려 하면, 곧 붙잡아 일으키기가 어렵다. 삼가지 않을 수 있겠는가?

|  | ㉠ | ㉡ | ㉢ |
|---|---|---|---|
| ① | 敗亡 | 政事 | 改革 |
| ② | 敗亡 | 正使 | 開革 |
| ③ | 敗忙 | 政事 | 改革 |
| ④ | 敗忙 | 正使 | 開革 |

## 14

난이도 ★★☆

**해설** ① 堅持(견지: 굳을 견, 가질 지)(×) → 見地(견지: 볼 견, 땅 지)(○): 문맥상 '어떤 사물을 판단하거나 관찰하는 입장'을 뜻하는 '見地(견지)'로 표기해야 한다.
- 堅持(견지: 굳을 견, 가질 지): 1. 어떤 견해나 입장 등을 굳게 지니거나 지킴 2. 굳게 지지함

**오답분석** ② 集團(집단: 모을 집, 둥글 단): 여럿이 모여 이룬 모임
③ 形成(형성: 모양 형, 이룰 성): 어떤 형상을 이룸
④ 實體(실체: 열매 실, 몸 체): 실제의 물체. 또는 외형에 대한 실상
⑤ 要素(요소: 요긴할 요, 본디 소): 사물의 성립이나 효력 발생 등에 꼭 필요한 성분. 또는 근본 조건

## 15

난이도 ★★★

**해설** ① 校訂(교정: 학교 교, 바로잡을 정)(○): '남의 문장 또는 출판물의 잘못된 글자나 글귀 등을 바르게 고침'을 뜻하는 '校訂(교정)'이 문맥상 적절하게 사용되었으므로 답은 ①이다.

**오답분석** ② 交差(교차: 사귈 교, 다를 차)(×) → 交叉(교차: 사귈 교, 갈래 차)(○): '서로 엇갈리거나 마주침'을 뜻하는 '교차'의 '차'는 '叉(갈래 차)'를 써야 한다.
- 交差(교차): 벼슬아치를 번갈아 임명함
③ 決濟(결제: 결단할 결, 건널 제)(×) → 決裁(결재: 결단할 결, 마를 재)(○): '결정할 권한이 있는 상관이 부하가 제출한 안건을 검토하여 허가하거나 승인함'을 뜻하는 '결재'의 '재'는 '裁(마를 재)'를 써야 한다.
- 決濟(결제): 일을 처리하여 끝을 냄
④ 提高(제고: 끌 제, 높을 고)(×) → 再考(재고: 두 재, 생각할 고)(○): '어떤 일이나 문제 등에 대하여 다시 생각함'을 뜻하는 '再考(재고)'를 써야 한다.
- 提高(제고): 수준이나 정도 등을 끌어올림

## 16

난이도 ★★☆

**해설** ① ⊙과 ⓒ에 들어갈 한자는 각각 '改善, 通貨'이므로 답은 ① 이다.
- ⊙改善(개선: 고칠 개, 착할 선): 잘못된 것이나 부족한 것, 나쁜 것 등을 고쳐 더 좋게 만듦
- ⓒ通貨(통화: 통할 통, 재물 화): 유통 수단이나 지불 수단으로서 기능하는 화폐

**오답분석** ⊙改選(개선: 고칠 개, 가릴 선): 의원이나 임원 등이 사퇴하거나 그 임기가 다 되었을 때 새로 선출함
ⓒ通話(통화: 통할 통, 말씀 화): 1. 전화로 말을 주고받음 2. 통화한 횟수를 세는 말

## 17

난이도 ★★☆

**해설** ③ 작사(詐詞: 속일 사, 말 사)(×) → 작사(作詞: 지을 작, 말 사)(○): '노랫말을 지음'을 뜻하는 '작사'의 '작'은 '作(지을 작)'으로 쓴다. 따라서 한자어의 표기가 옳지 않은 것은 ③이다.

**오답분석** ① 알현(謁見: 뵐 알, 뵈올 현): 지체가 높고 귀한 사람을 찾아가 뵘
② 내홍(內訌: 안 내, 어지러울 홍): 집단이나 조직의 내부에서 자기들끼리 일으킨 분쟁
④ 상쇄(相殺: 서로 상, 빠를 쇄): 상반되는 것이 서로 영향을 주어 효과가 없어지는 일
⑤ 무론(毋論: 말 무, 논할 론): 말할 것도 없음(= 물론)

## 18

난이도 ★★☆

**해설** ① ⊙~ⓒ은 각각 '敗亡, 政事, 改革'로 표기하므로 답은 ①이다.
- ⊙敗亡(패망: 패할 패, 망할 망): 싸움에 져서 망함
- ⓒ政事(정사: 정사 정, 일 사): 정치 또는 행정상의 일
- ⓒ改革(개혁: 고칠 개, 가죽 혁): 제도나 기구 등을 새롭게 뜯어고침

**오답분석** ⊙忙(바쁠 망)
ⓒ正使(정사: 바를 정, 하여금 사): 사신 가운데 우두머리가 되는 사람. 또는 그런 지위
ⓒ開(열 개)

## 19

[2017년 국가직 9급 (4월)]

㉠~㉣의 한자가 모두 바르게 표기된 것은?

―――――〈보기〉―――――

글의 진술 방식에는 ㉠설명, ㉡묘사, ㉢서사, ㉣논증 등 네 가지 방식이 있다.

| | ㉠ | ㉡ | ㉢ | ㉣ |
|---|---|---|---|---|
| ① | 說明 | 描寫 | 敍事 | 論證 |
| ② | 設明 | 描寫 | 敍事 | 論症 |
| ③ | 說明 | 猫鯊 | 徐事 | 論症 |
| ④ | 說明 | 猫鯊 | 徐事 | 論證 |

## 20

[2017년 국가직 9급 (10월)]

㉠~㉣에 들어갈 한자어를 순서대로 바르게 나열한 것은?

토론은 어떤 의견이나 제안에 대해 찬성과 반대의 뚜렷한 의견 대립을 가지는 사람들이 논리적으로 상대방을 설득하는 ( ㉠ ) 형태이다. 찬성자와 반대자는 각기 ( ㉡ )를 밝히고, 상대방의 주장을 비판하며, 주장의 정당성과 합리성이 상대방에게 인정될 수 있도록 자기의 주장을 펴 나간다. 토론에서 자기 주장이 옳다는 것을 상대방이 인정하도록 하려면, 상대로 하여금 ( ㉢ )의 여지를 가지지 못하게 해야 한다. 따라서 토론 참가자는 ( ㉣ )에 대한 충분한 자료 수집 및 정보 검토를 통해 자신의 주장에 대해 충분히 생각하고, 자기 의견을 논리적으로 분명하게 드러내기 위한 화법(話法)을 연구하는 것이 필요하다.

| | ㉠ | ㉡ | ㉢ | ㉣ |
|---|---|---|---|---|
| ① | 論議 | 論據 | 論駁 | 論題 |
| ② | 論議 | 論制 | 論遽 | 論搏 |
| ③ | 論意 | 論旨 | 論難 | 論述 |
| ④ | 論意 | 論志 | 論據 | 論題 |

## 21

[2017년 지방직 9급 (12월)]

㉠~㉣의 한자 병기가 옳지 않은 것은?

㉠열악(劣惡)한 환경에 굴하지 않고, 희망을 현실로 만든 그의 노력에 우리는 ㉡경의(敬意)를 표하였다. 그의 ㉢태도(態道)는 우리에게 ㉣귀감(龜鑑)이 될 만하다.

① ㉠　　　　　　　　　② ㉡

③ ㉢　　　　　　　　　④ ㉣

## 22

[2017년 서울시 9급]

다음 밑줄 친 단어의 한자어로 적합한 것은?

토의는 최적의 해결 방안을 선택하기 위한 공동의 사고 과정이다. 이 과정이 효율적으로 진행되기 위해서는 공동체가 해결해야 할 문제와 문제의 원인을 인식하고 가능한 대안들을 도출해야 한다. 그리고 대안의 선택에 필요한 판단 준거를 토대로 대안을 분석해 최적의 대안을 선택해야 한다.

① 토의 – 討議　　　　② 사고 – 思考

③ 선택 – 先擇　　　　④ 준거 – 準擧

## 23

[2017년 지방직 7급]

밑줄 친 단어의 한자 표기가 모두 옳은 것은?

◦ 많은 고통을 ㉠감수한 결과 오늘의 결과를 이루었다.
◦ 우리 사회에 ㉡만연해 있는 불신감을 해소해야 한다.

| | ㉠ | ㉡ |
|---|---|---|
| ① | 甘授 | 漫延 |
| ② | 甘受 | 漫延 |
| ③ | 甘授 | 蔓延 |
| ④ | 甘受 | 蔓延 |

## 19
난이도 ★★☆

**해설** ①①~②의 한자를 순서대로 표기하면 '說明 - 描寫 - 敍事 - 論證'이므로 답은 ①이다.
- ① **說明**(말씀 설, 밝을 명): 어떤 일이나 대상의 내용을 상대편이 잘 알 수 있도록 밝혀 말함. 또는 그런 말
- ⓒ **描寫**(그릴 묘, 베낄 사): 어떤 대상이나 사물, 현상 등을 언어로 서술하거나 그림을 그려서 표현함
- ⓒ **敍事**(펼 서, 일 사): 사실을 있는 그대로 적음
- ② **論證**(논할 논, 증거 증): 옳고 그름을 이유를 들어 밝힘. 또는 그 근거나 이유

**오답 분석** ① 設(베풀 설)

ⓒ **猫鯊**(고양이 묘, 문절망둑 사): 괭이상엇과의 바닷물고기

ⓒ **徐事**(천천히 할 서, 일 사): 태봉에서, 광평성의 둘째 벼슬

② **論症**(논할 논, 증세 증): 병의 증세를 논술함

## 20
난이도 ★★☆

**해설** ①①~②에는 각각 '論議(논의), 論據(논거), 論駁(논박), 論題(논제)'가 순서대로 들어가야 하므로 답은 ①이다.
- ① **論議**(논의: 논할 논, 의논할 의): 어떤 문제에 대하여 서로 의견을 내어 토의함. 또는 그런 토의
- ⓒ **論據**(논거: 논할 논, 근거 거): 어떤 이론이나 논리, 논설 등의 근거
- ⓒ **論駁**(논박: 논할 논, 논박할 박): 어떤 주장이나 의견에 대하여 그 잘못된 점을 조리 있게 공격하여 말함
- ② **論題**(논제: 논할 논, 제목 제): 논설이나 논문, 토론 등의 주제나 제목

**오답 분석** ① 論意(논의: 논할 논, 뜻 의): 논하는 말이나 글의 뜻 또는 의도

ⓒ 論旨(논지: 논할 논, 뜻 지): 논하는 말이나 글의 취지
- 志(뜻 지), 制(절제할 제)

ⓒ 論難(논란: 논할 논, 어려울 난): 여럿이 서로 다른 주장을 내며 다툼
- 遽(급히 거)

② 論述(논술: 논할 논, 펼 술): 어떤 것에 관하여 의견을 논리적으로 서술함
- 搏(두드릴 박)

## 21
난이도 ★★★

**해설** ③ 태도(態道: 모습 태, 길 도)(×) → 태도(態度: 모습 태, 법도 도)(○): '어떤 일이나 상황 등을 대하는 마음가짐. 또는 그 마음가짐이 드러난 자세'를 뜻하는 '태도'의 '도'는 '度(법도 도)'를 쓴다. 따라서 한자의 표기가 옳지 않은 것은 ③이다.

**오답 분석** ① 열악(劣惡: 못할 열, 악할 악): 품질이나 능력, 시설 등이 매우 떨어지고 나쁨

② 경의(敬意: 공경 경, 뜻 의): 존경하는 뜻

④ 귀감(龜鑑: 거북 귀, 거울 감): 거울로 삼아 본받을 만한 모범

## 22
난이도 ★★☆

**해설** ② '생각하고 궁리함'을 뜻하는 '사고'는 **思考**(생각 사, 생각할 고)로 표기한다.

**오답 분석** ① **討義**(칠 토, 옳을 의)(×) → **討議**(칠 토, 의논할 의)(○): '어떤 문제에 대하여 검토하고 협의함'을 뜻하는 '토의'의 '의'는 '議(의논할 의)'를 쓴다.

③ **先擇**(먼저 선, 가릴 택)(×) → **選擇**(가릴 선, 가릴 택)(○): '여럿 가운데서 필요한 것을 골라 뽑음'을 뜻하는 '선택'의 '선'은 '選(가릴 선)'을 쓴다.

④ **準擧**(준할 준, 들 거)(×) → **準據**(준할 준, 근거 거)(○): '사물의 정도나 성격 등을 알기 위한 근거나 기준'을 뜻하는 '준거'의 '거'는 '據(근거 거)'를 쓴다.

## 23
난이도 ★★★

**해설** ④ ①, ⓒ은 각각 '甘受, 蔓延'으로 표기하므로 답은 ④이다.
- ① **甘受**(감수: 달 감, 받을 수): 책망이나 괴로움 등을 달갑게 받아들임
- ⓒ **蔓延**(만연: 덩굴 만, 늘일 연): '식물의 줄기가 널리 뻗는다'라는 뜻으로, 전염병이나 나쁜 현상이 널리 퍼짐을 비유적으로 이르는 말

**오답 분석** ① 授(줄 수)

ⓒ 漫(흩어질 만)

## 24
[2017년 사회복지직 9급]

문맥을 고려할 때 괄호 안의 한자가 옳은 것은?

① 그는 변명(辨明)을 늘어놓기에 급급했다.

② 사람의 마음가짐은 대상 인식(人識)에 영향을 끼친다.

③ 제4차 산업혁명에 능동적으로 대처(大處)해야 한다.

④ 올림픽은 국위를 선양(禪讓)하기 위한 겨루기의 장이다.

## 25
[2017년 경찰직 2차]

다음 괄호 안에 들어갈 알맞은 한자를 바르게 나열한 것은?

> 미국 정부는 기밀(   ) 자료가 유출(   )된 정황을 인지(   )하자마자 곧바로 유출자 색출(   )을 위한 대책 마련에 들어갔다.

① 記密 － 類出 － 認知 － 嗉出

② 記密 － 類出 － 認智 － 索出

③ 機密 － 流出 － 認知 － 索出

④ 機密 － 流出 － 認智 － 嗉出

## 26
[2016년 국가직 9급]

㉠~㉣의 밑줄 친 어휘의 한자가 옳지 않은 것은?

> ○ 그는 적의 ㉠사주를 받아 내부 기밀을 염탐했다.
> ○ 남의 일에 지나친 ㉡간섭을 하지 않기 바랍니다.
> ○ 그 선박은 ㉢결함을 지닌 채로 출항을 강행하였다.
> ○ 비리 ㉣척결이 그가 내세운 가장 중요한 목표였다.

① ㉠ － 使嗾

② ㉡ － 間涉

③ ㉢ － 缺陷

④ ㉣ － 剔抉

## 27
[2016년 지방직 9급]

밑줄 친 부분의 한자가 옳은 것은?

① 학술지의 규정(規正)에 따라 표절 논문을 반려하였다.

② 문법 구조(救助)를 잘 이해하면 독해력이 향상된다.

③ 각급 기관에서 협조할 사안이 충분(充分)히 있다.

④ 사회적 현상(懸賞)을 파악하여 정책을 마련해야 한다.

## 28
[2016년 서울시 9급]

다음 중 괄호 안의 한자가 옳은 것은?

① 정직함이 유능함보다 중요(仲要)하다.

② 대중(對衆) 앞에서 연설하는 것은 쉬운 일이 아니다.

③ 부동산 중개사(重介士) 시험을 보는 사람들이 점점 늘어나고 있다.

④ 집중력(集中力)이 떨어지지 않도록 숙면을 취해야 한다.

## 29
[2016년 국가직 7급]

㉠~㉢의 표제어에 적합한 한자 표기는?

> ㉠유세: 자기 의견 또는 자기 소속 정당의 주장을 선전하며 돌아다님
> ㉡조세: 국가 또는 지방자치단체가 필요한 경비로 사용하기 위하여 국민이나 주민으로부터 강제로 거두어들이는 금전
> ㉢탑본: 비석, 기와, 기물 따위에 새겨진 글씨나 무늬를 종이에 그대로 떠냄

|   | ㉠ | ㉡ | ㉢ |
|---|---|---|---|
| ① | 遊說 | 徂歲 | 拓本 |
| ② | 遊說 | 租稅 | 搨本 |
| ③ | 誘說 | 徂歲 | 搨本 |
| ④ | 誘說 | 租稅 | 拓本 |

**24**                                                                 난이도 ★★☆

해설  ① 괄호 안의 한자가 옳은 것은 ①의 '변명(辨明)'이다.

• 변명(辨明: 분별할 변, 밝을 명): 어떤 잘못이나 실수에 대하여 구실을 대며 그 까닭을 말함

오답분석  ② 인식(人識: 사람 인, 알 식)(×) → (認識: 알 인, 알 식)(○): 사물을 분별하고 판단하여 앎

③ 대처(大處: 클 대, 곳 처)(×) → (對處: 대할 대, 곳 처)(○): 어떤 정세나 사건에 대하여 알맞은 조치를 취함

④ 선양(禪讓: 선 선, 사양할 양)(×) → (宣揚: 베풀 선, 날릴 양)(○): 명성이나 권위 등을 널리 떨치게 함

**25**                                                                 난이도 ★★★

해설  ③ 괄호 안에는 '機密 – 流出 – 認知 – 索出'가 순서대로 들어가야 하므로 답은 ③이다.

• 機密(틀 기, 빽빽할 밀): 외부에 드러내서는 안 될 중요한 비밀

• 流出(흐를 유, 날 출): 귀중한 물품이나 정보 등이 불법적으로 나라나 조직의 밖으로 나가 버림. 또는 그것을 내보냄

• 認知(알 인, 알 지): 어떤 사실을 인정하여 앎

• 索出(찾을 색, 날 출): 샅샅이 뒤져서 찾아냄

오답분석  • 記(기록할 기), 密(빽빽할 밀)

• 類(무리 유), 出(날 출)

• 認(알 인), 智(슬기 지)

• 嗦(밝을 색), 出(날 출)

**26**                                                                 난이도 ★★★

해설  ② ㉡ 간섭(間涉: 사이 간, 건널 섭)(×) → 간섭(干涉: 방패 간, 건널 섭)(○): '직접 관계가 없는 남의 일에 부당하게 참견함'을 뜻하는 '간섭'의 '간'은 '干(방패 간)'으로 쓴다. 따라서 한자의 표기가 옳지 않은 것은 ②이다.

오답분석  ① ㉠ 사주(使嗾: 하여금 사, 부추길 주): 남을 부추겨 좋지 않은 일을 시킴

③ ㉢ 결함(缺陷: 이지러질 결, 빠질 함): 부족하거나 완전하지 못하여 흠이 되는 부분

④ ㉣ 척결(剔抉: 뼈 바를 척, 도려낼 결): 나쁜 부분이나 요소들을 깨끗이 없애 버림

**27**                                                                 난이도 ★★☆

해설  ③ '충분'이 '모자람이 없이 넉넉함'이라는 뜻으로 쓰였으므로, ③의 '充分(가득할 충, 나눌 분)'은 한자어의 표기가 옳다.

오답분석  ① 規正(×) → 規定(○): 문맥상 '규칙으로 정함. 또는 그 정하여 놓은 것'이라는 뜻인 '規定(법 규, 정할 정)'을 써야 한다.

• 規正(법 규, 바를 정): 바로잡아서 고침

② 救助(×) → 構造(○): 문맥상 '부분이나 요소가 어떤 전체를 짜 이룸. 또는 그렇게 이루어진 얼개'라는 뜻인 '構造(얽을 구, 지을 조)'를 써야 한다.

• 救助(구원할 구, 도울 조): 재난 등을 당하여 어려운 처지에 빠진 사람을 구하여 줌

④ 懸賞(×) → 現狀(○): 문맥상 '나타나 보이는 현재의 상태'라는 뜻인 '現狀(나타날 현, 형상 상)'을 써야 한다.

• 懸賞(달 현, 상줄 상): 무엇을 모집하거나 구하거나 사람을 찾는 일에 현금이나 물품 등을 내걺. 또는 그 현금이나 물품

**28**                                                                 난이도 ★★★

해설  ④ 괄호 안의 한자 표기가 옳은 것은 ④ '집중력(集中力)'이다.

• 집중력(集中力: 모을 집, 가운데 중, 힘 력): 마음이나 주의를 집중할 수 있는 힘

오답분석  ① 仲要(버금 중, 요긴할 요)(×) → 重要(무거울 중, 요긴할 요)(○): '귀중하고 요긴함'을 뜻하는 '중요'의 '중'은 重(무거울 중)'을 쓴다.

② 對衆(대할 대, 무리 중)(×) → 大衆(큰 대, 무리 중)(○): '수많은 사람의 무리'를 뜻하는 '대중'의 '대'는 '大(큰 대)'를 쓴다.

③ 重介士(무거울 중, 낄 개, 선비 사)(×) → 仲介士(버금 중, 낄 개, 선비 사)(○): '다른 사람의 의뢰를 받아 상행위를 대신해 주어 그에 대한 수수료를 받는 사람'을 뜻하는 '중개사'의 '중'은 '仲(버금 중)'을 쓴다.

**29**                                                                 난이도 ★★☆

해설  ② ㉠~㉢의 표제어는 순서대로 '遊說, 租稅, 搨本'으로 표기하는 것이 옳다.

• ㉠ 遊說(놀 유, 달랠 세)

• ㉡ 租稅(조세 조, 세금 세)

• ㉢ 搨本(베낄 탑, 근본 본)

오답분석  ㉠ 誘說(꾈 유, 달랠 세): 달콤한 말로 꾐

㉡ 徂歲(갈 조, 해 세): 지나간 해. 또는 지나간 시절

㉢ 拓本(박을 탁, 근본 본): 비석, 기와, 기물 등에 새겨진 글씨나 무늬를 종이에 그대로 떠냄. 또는 그렇게 떠낸 종이

## 30

[2016년 사회복지직 9급]

**밑줄 친 단어에 가장 적절한 한자는?**

나는 구청의 담당자에게 연유를 설명하고 서류를 찾아와서 서류 내용을 정정해야만 했다.

① 訂正  ② 正定
③ 正丁  ④ 正正

## 31

[2016년 서울시 7급]

**다음 중 밑줄 친 부분의 한자 표기가 가장 적절한 것은?**

① 여행 도중 틈틈이 수상을 기록하여 문집을 냈다. – 首想
② 그가 사주, 관상, 수상에 능하기는 했지만 자신의 운명은 알지 못했다. – 手象
③ 어쩐지 수상하다 했더니 처음부터 범죄 의도가 있던 사람이었다. – 樹狀
④ 그는 지원자 중 유일하게 대상을 수상한 경력이 있어 뽑혔다. – 受賞

## 32

[2016년 서울시 7급]

**다음 중 밑줄 친 부분이 한자로 바르게 연결된 것은?**

중독을 떨쳐 버리지 않는 게 과연 합리적인 결정일까? 좀 더 일반적인 중독에 대해서 생각해 본다면 이 질문에 대한 답을 쉽게 찾을 수 있을 것이다. 나는 갓 볶아낸 원두를 갈아서 향이 좋은 커피 한 잔을 만들어 마시는 일로 하루 일과를 시작한다. 그런데 가끔 원두가 떨어진 걸 깜빡할 때도 있다. 그래서 커피를 마시지 못하면 두통이 생기고, 화가 나고, 집중도 못 한다. 커피를 마시지 못 하면 금단현상을 느끼는 커피 중독자인 것이다.

① 中毒 – 決定 – 集中 – 禁斷
② 重毒 – 決定 – 執中 – 錦端
③ 中毒 – 結定 – 集中 – 禁斷
④ 重毒 – 結定 – 執中 – 錦端

## 33

[2016년 사회복지직 9급]

**밑줄 친 '고'와 한자가 같은 것은?**

구민들의 고충(苦衷)에 귀 기울이고 문제를 해결하기 위해 노력하겠습니다.

① 과거에는 신문고를 이용해 백성들의 이야기를 듣곤 했다.
② 한정된 예산에서 최대한 복지 예산을 확보하기 위한 고민이 계속된다.
③ 그 방송은 요즘 문제가 되고 있는 과소비의 실태에 대한 고발인 듯했다.
④ 민원을 처리하기 전에 먼저 법에 저촉되는 것은 없는지 숙고하는 자세가 필요하다.

## 34

[2015년 지방직 9급]

**㉠~㉢에 들어갈 단어로 가장 적절한 것은?**

○ 리포트 자료를 종류별로 ( ㉠ )해 두어라.
○ 재활용할 쓰레기를 제대로 ( ㉡ )해야 한다.
○ 그는 언제나 옳고 그른 일을 정확하게 ( ㉢ )할 줄 안다.

| | ㉠ | ㉡ | ㉢ |
|---|---|---|---|
| ① | 分類 | 分離 | 區分 |
| ② | 分類 | 區分 | 分離 |
| ③ | 分離 | 區分 | 分類 |
| ④ | 分離 | 分類 | 區分 |

## 35

[2015년 서울시 9급]

**다음 중 밑줄 친 단어의 한자로 가장 적합한 것은?**

무언가를 상실해 버린 느낌을 지니고 성장했어요. 그래서 어머니에게 내가 기억나지 않는 어린 시절에 대한 이야기를 꼬치꼬치 캐물을 때가 종종 있지요. 게다가 시골마을에서 벌어지는 일이 내 눈엔 참 이상했어요. 마당에다 애써서 기른 집짐승들을 잡아먹는 것도 이상했고, 겨울을 잘 넘기고 해동이 될 때면 마을에 상여가 나가는 일이 많은 것도 이상해서 계속 따라갔던 기억이 납니다.

① 상실: 喪失  ② 성장: 盛裝
③ 이상: 異狀  ④ 해동: 解冬

## 30
난이도 ★★★

**해설** ① 訂正(바로잡을 정, 바를 정): 문맥상 '글자나 글 등의 잘못을 고쳐서 바로잡음'을 뜻하는 '訂正'을 써야 하므로 답은 ①이다.

**오답분석** ② 正定(바를 정, 정할 정): 번뇌로 인한 어지러운 생각을 버리고 마음을 안정하는 일

③ 正丁(바를 정, 고무래 정): 직접 군역(軍役)에 나가는 사람

④ 正正(바를 정, 바를 정): 1. 바르고 가지런함 2. 바르고 떳떳함

## 31
난이도 ★★★

**해설** ④ '상을 받음'을 뜻하는 한자어는 '受賞(받을 수, 상줄 상)'으로 표기하므로 ④는 한자 표기가 적절하다.

**오답분석** ① 수상(首想: 머리 수, 생각 상)(×) → 수상(隨想: 따를 수, 생각 상)(○): '그때그때 떠오르는 느낌이나 생각'을 뜻하는 '수상'의 '수'는 '隨(따를 수)'를 써야 한다.

② 수상(手象: 손 수, 코끼리 상)(×) → 수상(手相: 손 수, 서로 상)(○): '손금이나 손의 모양'을 뜻하는 '수상'의 '상'은 '相(서로 상)'을 써야 한다.

③ 수상(樹狀: 나무 수, 형상 상)(×) → 수상(殊常: 다를 수, 항상 상)(○): '보통과는 달리 이상하여 의심스러움'을 뜻하는 '수상'은 '殊常(다를 수, 항상 상)'으로 써야 한다.

• 수상(樹狀): 나무처럼 가지가 있는 형상

## 32
난이도 ★★★

**해설** ① 밑줄 친 부분의 한자를 순서대로 바르게 나열하면 '中毒 - 決定 - 集中 - 禁斷'이므로 답은 ①이다.

• 中毒(가운데 중, 독 독): 술이나 마약 등을 지나치게 복용한 결과, 그것 없이는 견디지 못하는 병적 상태

• 決定(결단할 결, 정할 정): 행동이나 태도를 분명하게 정함. 또는 그렇게 정해진 내용

• 集中(모을 집, 가운데 중): 한 가지 일에 모든 힘을 쏟아부음

• 禁斷(금할 금, 끊을 단): 어떤 행위를 하지 못하도록 금함

**오답분석** • 重(무거울 중)

• 執中(집중: 잡을 집, 가운데 중): 지나치거나 모자람이 없이 또는 한쪽으로 치우침이 없이 마땅하고 떳떳한 도리를 취함

• 錦端(금단: 비단 금, 끝 단): 기둥머리에 그린 단청의 가장자리를 비단 자락 모양으로 돌린 무늬

• 結(맺을 결)

## 33
난이도 ★★★

**해설** ② '고충'의 '고'와 한자가 같은 것은 '고민'의 '고'이다.

• 고충(苦衷) (쓸 고, 속마음 충): 괴로운 심정이나 사정

• 고민(苦悶) (쓸 고, 답답할 민): 마음속으로 괴로워하고 애를 태움

**오답분석** ① 신문고(申聞鼓) (거듭 신, 들을 문, 북 고): 조선 시대에, 백성이 억울한 일을 하소연할 때 치게 하던 북

③ 고발(告發) (고할 고, 필 발): 세상에 잘 알려지지 않은 잘못이나 비리를 드러내어 알림

④ 숙고(熟考) (익을 숙, 생각할 고): 곰곰 잘 생각함. 또는 그런 생각

## 34
난이도 ★★★

**해설** ① ㉠~㉢에 들어갈 단어로 적절한 것은 ① 分類 - 分離 - 區分이다.

• ㉠: 자료를 종류에 따라서 나누는 것이므로 '종류에 따라서 가름'을 뜻하는 分類(분류: 나눌 분, 무리 류)가 들어가는 것이 적절하다.

• ㉡: 재활용할 쓰레기를 나누는 것이므로 '서로 나뉘어 떨어짐. 또는 그렇게 되게 함'을 뜻하는 分離(분리: 나눌 분, 떠날 리)가 들어가는 것이 적절하다.

• ㉢: '옳고 그름'의 기준에 따라 일을 나누는 것이므로 '일정한 기준에 따라 전체를 몇 개로 갈라 나눔'을 뜻하는 區分(구분: 구분할 구, 나눌 분)이 들어가는 것이 적절하다.

## 35
난이도 ★★★

**해설** ① 喪失(잃을 상, 잃을 실)(○): 문맥상 '어떤 것이 아주 없어지거나 사라짐'을 뜻하는 한자 '喪失'이 바르게 쓰였다.

**오답분석** ② 성장 盛裝(×) → 成長(○): 문맥상 '사람이나 동식물이 자라서 점점 커짐'을 뜻하는 '成長(이룰 성, 길 장)'을 써야 한다.

• 盛裝(성할 성, 꾸밀 장): 잘 차려입음. 또는 그런 차림

③ 이상 異狀(×) → 異常(○): 문맥상 '정상적인 상태와 다름'을 뜻하는 '異常(다를 이, 항상 상)'을 써야 한다.

• 異狀(다를 이, 형상 상): 평소와는 다른 상태

④ 해동 解冬(×) → 解凍(○): 문맥상 '얼었던 것이 녹아서 풀림'을 뜻하는 '解凍(풀 해, 얼 동)'을 써야 한다.

• 解冬(풀 해, 겨울 동): 승려들이 음력 10월 15일부터 이듬해 1월 15일까지 일정한 곳에 머물며 수도(修道)하는 일의 끝

## 36

[2015년 국가직 7급]

밑줄 친 한자가 문맥상 바르게 쓰인 것은?

> 1차 '휴머니스트 선언'이 나온 지 40년이 지난 후 나치즘은 인간이 드러낼 수 있는 야만성의 극한적인 ㉠型態를 드러내었으며, 여타의 전체주의 정책들 또한, 빈곤 상태를 ㉡槌放하지도 못하면서 인권만 ㉢蹂躪했다. 더욱이 민주주의 ㉣整體를 가진 사회에서까지도 과학을 악용한 경찰 국가의 면모가 나타나기 시작하였다.

① ㉠                    ② ㉡
③ ㉢                    ④ ㉣

## 37

[2015년 서울시 7급]

다음 괄호 안에 병기된 한자 중에 '地' 자의 쓰임이 옳지 않은 것은?

① 김 주사는 심지(心地)가 고운 사람이다.
② '입추의 여지(餘地)가 없다.'라는 말은 가을과 상관없다.
③ 황룡사지는 절터라기보다는 궁지(宮地)라는 주장이 있다.
④ 풍년으로 산지(産地)의 쌀값이 전년보다 6% 정도 떨어졌다.

## 38

[2015년 사회복지직 9급]

문장의 의미를 고려할 때, 한자가 잘못 병기된 것은?

① 임신부가 진통(陣痛)을 시작하였다.
② 그 학자는 평생을 오로지 학문(學問)에만 정진하였다.
③ 그의 취미는 음악 감상(感想)이다.
④ 그는 자신의 추정(推定)을 뒷받침하는 근거를 제시하지 못했다.

## 39

[2014년 지방직 9급 (10월)]

밑줄 친 한자어가 바르지 않은 것은?

① 이 친구와 나는 막역한 사이이다.
② 빚쟁이들이 무서워 야반도주하였다.
③ 그야말로 절대절명의 위기로, 어떤 방법으로도 해결할 수 없다.
④ 삼수갑산에 가는 한이 있어도 그 사람만큼은 내 손으로 잡겠다.

## 40

[2014년 서울시 9급]

다음 문장들의 의미를 고려할 때 밑줄 친 부분을 한자로 순서대로 바르게 옮긴 것은?

> ○ 그는 부정이나 불의를 보면 참지 못한다.
> ○ 그 집에 가면 부정을 탄다는 소문이 있다.
> ○ 답이 무수히 많은 방정식을 부정 방정식이라 한다.
> ○ 그의 대답은 긍정도 부정도 아니어서 혼란스럽다.

① 不淨 - 不正 - 不正 - 否定
② 不正 - 不淨 - 不定 - 否定
③ 不定 - 不淨 - 否定 - 不定
④ 不貞 - 否定 - 不淨 - 不定
⑤ 不貞 - 不定 - 否定 - 不淨

## 41

[2014년 서울시 9급]

다음 중 괄호 안의 한자어가 적절히 사용된 것은?

① 가상(假像) 현실에서는 실제로 경험할 수 없는 체험을 할 수 있다.
② 가시(可示)적인 성과보다는 내실이 중요하다.
③ 그의 작품에는 다양한 인생 편력(遍歷)이 드러나 있다.
④ 그 이야기는 과장(誇長) 없는 사실이다.
⑤ 삶에 대한 통찰(通察)이 묻어나는 말씀이다.

## 36
난이도 ★★☆

**해설** ③ 蹂躪(유린: 밟을 유, 짓밟을 린)(○): 문맥상 '남의 권리나 인격을 짓밟음'을 뜻하는 한자 ⓒ '蹂躪'이 바르게 쓰였다.

**오답분석** ① 型態(형태: 모형 형, 모습 태)(×) → 形態(형태: 모양 형, 모습 태)(○): '사물의 생김새나 모양. 또는 어떠한 구조나 전체를 이루고 있는 구성체가 일정하게 갖추고 있는 모양'을 뜻하는 '형태'의 '형'은 形(모양 형)으로 쓴다.

② 槌放(추방: 망치 추, 놓을 방)(×) → 追放(추방: 쫓을 추, 놓을 방)(○): '일정한 지역이나 조직 밖으로 쫓아냄'을 뜻하는 '추방'의 '추'는 '追(쫓을 추)'로 쓴다.

④ 整體(정체: 가지런할 정, 몸 체)(×) → 政體(정체: 정사 정, 몸 체)(○): '국가의 통치 형태'를 뜻하는 '정체'의 '정'은 '政(정사 정)'으로 쓴다.

· 整體(정체: 가지런할 정, 몸 체): 지압이나 안마 등으로 척추뼈를 바르게 하거나 몸의 상태를 좋게 함

## 37
난이도 ★★☆

**해설** ③ 궁지(宮地: 집 궁, 땅 지)(×) → 궁지(宮趾: 집 궁, 발 지)(○): '궁궐이 있던 자리'를 뜻하는 '궁지'의 '지'는 '趾(발 지)'를 쓴다.

**오답분석** ① 심지(心地: 마음 심, 땅 지)(○): 마음의 본바탕

② 여지(餘地: 남을 여, 땅 지)(○): 어떤 일을 하거나 어떤 일이 일어날 가능성이나 희망

④ 산지(産地: 낳을 산, 땅 지)(○): 생산되어 나오는 곳

## 38
난이도 ★★★

**해설** ③ 감상(感想)(×) → 감상(鑑賞)(○): 문맥상 '예술 작품을 이해하여 즐기고 평가함'을 뜻하는 '감상(鑑賞: 거울 감, 상줄 상)'이 적절하다. 따라서 한자가 잘못 병기된 것은 ③이다.

· 감상(感想: 느낄 감, 생각 상): 마음속에 일어나는 느낌이나 생각

**오답분석** ① 진통(陣痛: 진 칠 진, 아플 통): 해산할 때에, 짧은 간격을 두고 주기적으로 반복되는 배의 통증

② 학문(學問: 배울 학, 물을 문): 어떤 분야를 체계적으로 배워서 익힘. 또는 그런 지식

④ 추정(推定: 밀 추, 정할 정): 미루어 생각하여 판정함

## 39
난이도 ★★☆

**해설** ③ 절대절명(×) → 절체절명(絕體絕命)(○): '몸도 목숨도 다 되었다'라는 뜻으로, 어찌할 수 없는 절박한 경우를 비유적으로 이르는 말의 올바른 표기는 '절체절명(絕體絕命)'이다.

**오답분석** ① 막역(莫逆)(○): 허물이 없이 아주 친함

② 야반도주(夜半逃走)(○): 남의 눈을 피하여 한밤중에 도망함

④ 삼수갑산(三水甲山)(○): 우리나라에서 가장 험한 산골이라 이르던 삼수와 갑산

## 40
난이도 ★★★

**해설** ② 밑줄 친 부분의 한자를 순서대로 표기하면 '不正 – 不淨 – 不定 – 否定'이므로 답은 ②이다.

· 不正(아닐 부, 바를 정): 올바르지 않거나 옳지 못함

· 不淨(아닐 부, 깨끗할 정): 사람이 죽는 등의 불길한 일

· 不定(아닐 부, 정할 정): 수학 방정식이나 작도(作圖) 문제에서 그 답이 무수히 많이 존재하는 일

· 否定(아닐 부, 정할 정): 그렇지 않다고 판단하거나 옳지 않다고 반대함

**오답분석** ④⑤ 不貞(아닐 부, 곧을 정): 부부가 서로의 정조를 지키지 않음

## 41
난이도 ★★★

**해설** ③ 괄호 안의 한자가 적절한 것은 ③이다.

· 편력(遍歷: 두루 편, 지날 력): 이곳저곳을 널리 돌아다님. 여러 가지 경험을 함

**오답분석** ① 가상(假像: 거짓 가, 모양 상)(×) → 가상(假想: 거짓 가, 생각 상)(○): '사실이 아니거나 사실 여부가 분명하지 않은 것을 사실이라고 가정하여 생각함'을 뜻하는 '가상'의 '상'은 '想(생각 상)'으로 써야 한다.

· 가상(假像): 실물처럼 보이는 거짓 형상

② 가시(可示: 옳을 가, 보일 시)(×) → 가시(可視: 옳을 가, 볼 시)(○): '눈으로 볼 수 있는 것'을 뜻하는 '가시'의 '시'는 '視(볼 시)'로 써야 한다.

④ 과장(誇長: 자랑할 과, 길 장)(×) → 과장(誇張: 자랑할 과, 베풀 장)(○): '사실보다 지나치게 불려서 나타냄'을 뜻하는 '과장'의 '장'은 '張(베풀 장)'으로 써야 한다.

⑤ 통찰(通察: 통할 통, 살필 찰)(×) → 통찰(洞察: 밝을 통, 살필 찰)(○): '예리한 관찰력으로 사물을 꿰뚫어 봄'을 뜻하는 '통찰'의 '통'은 '洞(밝을 통)'으로 써야 한다.

· 통찰(通察): 책이나 글을 처음부터 끝까지 모두 훑어봄

## 42

[2014년 국가직 7급]

**밑줄 친 부분을 한자로 올바르게 바꾼 것은?**

> ○ 정기 국회에 새 법안을 <u>상정</u>하였다.
> ○ 우리 학교는 많은 인재를 <u>배출</u>한 명문 학교이다.

① 詳定 - 排出      ② 上程 - 輩出
③ 上程 - 排出      ④ 詳定 - 輩出

## 43

[2014년 서울시 7급]

**다음 중 괄호 안의 한자어가 적절히 사용된 것은?**

① 그 아이의 귀는 매우 예민(銳悶)하다.
② 그 범인은 자신을 검사로 사칭(私稱)하고 다녔다.
③ 그는 모든 군인의 귀감(貴鑑)이 되었다.
④ 올해는 대부분의 예산이 삭감(削減)되었다.
⑤ 과거의 잘못된 관행을 답습(踏習)하는 것은 옳지 않다.

### • 2. 한자어의 의미

## 44

[2020년 국가직 7급]

**괄호 안에 들어갈 말로 가장 적절한 것은?**

> 판소리 사설은 운문과 산문이 혼합되어 있을 뿐 아니라 여러 계층의 청중들을 상대로 하여 (　　　)으로 발달한 까닭에 언어의 층위가 매우 다채롭다. 그 속에는 기품 있는 한문 취미의 대목이 있는가 하면 극도로 익살스럽고 노골적인 욕설·속어가 들어 있으며, 무당의 고사나 굿거리 가락이 유식한 한시구와 나란히 나오기도 한다. 이 밖에 민요, 무가, 잡가 등 각종 민간 가요가 판소리 사설 속에 많이 삽입되었다.

① 골계적(滑稽的)      ② 연행적(演行的)
③ 우화적(寓話的)      ④ 적층적(積層的)

## 45

[2020년 지방직 7급]

**밑줄 친 한자어를 고쳐 쓴 것으로 적절하지 않은 것은?**

① 우리 시에서는 그 안건을 <u>부의(附議)</u>하겠다고 밝혔다.
   → 우리 시에서는 그 안건을 토의에 부치겠다고 밝혔다.
② 당국은 불법 점유 토지를 <u>명도(明渡)</u>하라고 지시했다.
   → 당국은 불법 점유 토지를 명확하게 파악하라고 지시했다.
③ 우리 조합은 주민들에게 동의서 <u>징구(徵求)</u>를 결정했다.
   → 우리 조합은 주민들에게 동의서 제출 요구를 결정했다.
④ 이 기업은 상여금을 임금에 <u>산입(算入)</u>할 것인지를 논의했다.
   → 이 기업은 상여금을 임금에 포함할 것인지를 논의했다.

**42**　　　　　　　　　　　　　　난이도 ★★★

해설　② 밑줄 친 부분을 한자로 올바르게 표기한 것은 ②이다.
　　　• **上程**(상정: 위 상, 한도 정): 문맥상 '토의할 안건을 회의 석상
　　　　에 내어놓음'을 뜻하는 '上程'을 써야 한다.
　　　• **輩出**(배출: 무리 배, 날 출): 문맥상 '인재(人材)가 계속하여
　　　　나옴'을 뜻하는 '輩出'을 써야 한다.

오답분석　• **詳定**(자세할 상, 정할 정): 나라의 제도나 관아에서 쓰는 물건
　　　　의 값, 세액, 공물액 등을 심사하고 결정하여 오랫동안 변경하
　　　　지 못하게 하던 일
　　　• **排出**(밀칠 배, 날 출): 안에서 밖으로 밀어 내보냄

**43**　　　　　　　　　　　　　　난이도 ★★★

해설　④ 괄호 안의 한자 표기가 옳은 것은 ④ '삭감(削減)'이다.
　　　• **削減**(삭감: 깎을 삭, 덜 감): 깎아서 줄임

오답분석　① 예민(銳悶: 날카로울 예, 답답할 민)(×) → 예민(銳敏: 날카로울
　　　　예, 민첩할 민)(○): '무엇인가를 느끼는 능력이나 분석하고 판
　　　　단하는 능력이 빠르고 뛰어남'을 뜻하는 '예민'의 '민'은 '敏
　　　　(민첩할 민)'을 써야 한다.
　　　② 사칭(私稱: 사사 사, 일컬을 칭)(×) → 사칭(詐稱: 속일 사, 일컬을
　　　　칭)(○): '이름, 직업, 나이, 주소 등을 거짓으로 속여 이름'을
　　　　뜻하는 '사칭'의 '사'는 '詐(속일 사)'를 써야 한다.
　　　③ 귀감(貴鑑: 귀할 귀, 거울 감)(×) → 귀감(龜鑑: 거북 귀, 거울 감)
　　　　(○): '거울로 삼아 본받을 만한 모범'을 뜻하는 '귀감'의 '귀'
　　　　는 '龜(거북 귀)'를 써야 한다.
　　　⑤ 답습(踏習: 밟을 답, 익힐 습)(×) → 답습(踏襲: 밟을 답, 엄습할
　　　　습)(○): '예로부터 해 오던 방식이나 수법을 좇아 그대로 행
　　　　함'을 뜻하는 '답습'의 '습'은 '襲(엄습할 습)'을 써야 한다.

**44**　　　　　　　　　　　　　　난이도 ★★☆

해설　④ 괄호의 앞뒤 내용을 통해 판소리 사설은 여러 계층의 청중들
　　　을 상대로 하기 때문에 언어의 층위가 매우 다채로움을 알 수
　　　있다. 따라서 문맥상 괄호 안에 들어갈 말로 적절한 것은 ④
　　　'적층적(積層的)'임을 추론할 수 있다.
　　　• **적층적**(積層的): 층층이 쌓임

오답분석　① 골계적(滑稽的): 익살을 부리는 가운데 어떤 교훈을 주는 것
　　　② 연행적(連行的): 배우가 연기를 하는 것
　　　③ 우화적(寓話的): 인격화한 동식물이나 기타 사물을 주인공으
　　　　로 하여 그들의 행동 속에 풍자와 교훈의 뜻을 나타내는 이야
　　　　기의 성격을 띠는 것

**45**　　　　　　　　　　　　　　난이도 ★★☆

해설　② '명도(明渡: 밝을 명, 건널 도)'는 '건물, 토지, 선박 등을 남에
　　　게 주거나 맡김. 또는 그런 일'을 뜻하므로, ②의 고쳐 쓴 내용
　　　은 적절하지 않다.

오답분석　① 부의(附議: 붙을 부, 의논할 의): 토의에 부침
　　　③ 징구(徵求: 부를 징, 구할 구): 돈, 곡식 등을 내놓으라고 요구함
　　　④ 산입(算入: 셈 산, 들 입): 셈하여 넣음

## 46

[2018년 국가직 9급]

밑줄 친 부분에 들어갈 한자어로 가장 적절한 것은?

> _____ (이)란 이익과 관련된 갈등을 인식한 둘 이상의 주체들이 이를 해결할 의사를 가지고 모여서 합의에 이르기 위해 대안들을 조정하고 구성하는 공동 의사 결정 과정을 말한다.

① 協贊　　　　　　② 協奏
③ 協助　　　　　　④ 協商

## 47

[2016년 지방직 9급]

밑줄 친 말의 쓰임이 적절하지 않은 것은?

① 이 숲에서 자생하던 희귀 식물들의 개체 수가 줄었다.
② 상황이 급박하게 돌아가서 이것저것 따질 개재가 아니다.
③ 이번 아이디어 상품의 출시 여부에 따라 사업의 성패가 결정된다.
④ 현대 사회에서는 유례를 찾아볼 수 없을 만큼 정보가 넘쳐 난다.

## 48

[2016년 국가직 7급]

밑줄 친 단어의 쓰임이 어색한 문장은?

① 작가는 작품으로 말할 뿐, 그 밖의 것은 모두 췌언(贅言)에 불과하다.
② 한학의 온축(蘊蓄)을 문학작품의 창작으로 승화시켰다.
③ 습작 활동을 오래도록 한 일은 그의 치밀한 성격을 야기(惹起)하였다.
④ 귀국한 동생으로 인해 우리 가족의 단취(團聚)가 실현되었다.

## 49

[2016년 지방직 7급]

한자어의 뜻을 잘못 풀이한 것은?

① 捷徑 – 지름길
② 順延 – 순수한 인연
③ 驅逐 – 어떤 세력 따위를 몰아서 쫓아냄
④ 波瀾 – 순탄하지 아니하고 어수선하게 계속되는 여러 가지 어려움이나 시련

## 50

[2014년 지방직 7급]

밑줄 친 말의 쓰임이 바르지 않은 것은?

① 그것은 아무도 예측하지 못한 파천황(破天荒)의 사태였다.
② 그는 단말마(斷末魔)의 비명을 지르며 쓰러졌다.
③ 우리는 육이오라는 미상불(未嘗不)의 대전란을 겪었다.
④ 남들의 백안시(白眼視)로 그는 괴로워하고 기를 펴지 못했다.

**46** 난이도 ★★★

해설 ④ 밑줄 친 부분에 들어갈 한자어로 적절한 것은 ④ '協商(협상)' 이다.
- **協商**(협상: 화합할 협, 장사 상): 어떤 목적에 부합되는 결정을 하기 위하여 여럿이 서로 의논함

오답분석 ① **協贊**(협찬: 화합할 협, 도울 찬): 1. 힘을 합하여 도움 2. 어떤 일 등에 재정적으로 도움을 줌
② **協奏**(협주: 화합할 협, 아뢸 주): 독주 악기와 관현악이 합주하면서 독주 악기의 기교가 돋보이게 연주함. 또는 그런 연주
③ **協助**(협조: 화합할 협, 도울 조): 힘을 보태어 도움

**47** 난이도 ★★☆

해설 ② 개재(×) → 계제(○): '상황이 급박하여 이것저것 따질 형편이 아니다'라는 의미이므로 문맥상 '계제(階梯)'가 적절하다.
- 계제(階梯 : 섬돌 계, 사다리 제): 1. 어떤 일을 할 수 있게 된 형편이나 기회 2. '사다리'라는 뜻으로, 일이 되어 가는 순서나 절차를 비유적으로 이르는 말
- 개재(介在: 낄 개, 있을 재): 어떤 것들 사이에 끼여 있음

오답분석 ① 자생(自生: 스스로 자, 날 생): 1. 저절로 나서 자람 2. 자기 자신의 힘으로 살아감
③ 성패(成敗: 이룰 성, 패할 패): 성공과 실패를 아울러 이르는 말
④ 유례(類例: 무리 유, 법식 례): 1. 같거나 비슷한 예 2. 이전부터 있었던 사례

**48** 난이도 ★★☆

해설 ③ '야기(惹起: 이끌 야, 일어날 기)'는 '일이나 사건 등을 끌어 일으킴'을 뜻하므로, '성격을 야기하였다'는 쓰임이 어색하다.

오답분석 ① 췌언(贅言: 혹 췌, 말씀 언): 쓸데없는 군더더기 말
② 온축(蘊蓄: 쌓을 온, 모을 축): 오랫동안 학식 등을 많이 쌓음. 또는 그 학식
④ 단취(團聚: 둥글 단, 모을 취): 집안 식구나 친한 사람들끼리 화목하게 한자리에 모임

**49** 난이도 ★★★

해설 ② '順延(순연: 순할 순, 늘일 연)'은 '차례로 기일을 늦춤'을 뜻하므로 ②는 잘못된 뜻풀이다.

오답분석 ① 捷徑(첩경: 빠를 첩, 지름길 경)
③ 驅逐(구축: 몰 구, 쫓을 축)
④ 波瀾(파란: 물결 파, 물결 란)

**50** 난이도 ★★★

해설 ③ '미상불(未嘗不: 아닐 미, 맛볼 상, 아닐 불)'은 '아닌 게 아니라 과연'을 뜻하므로, 문맥에 어울리지 않는다.

오답분석 ① 파천황(破天荒: 깨뜨릴 파, 하늘 천, 거칠 황): 이전에 아무도 하지 못한 일을 처음으로 해냄을 이르는 말
② 단말마(斷末魔: 끊을 단, 끝 말, 마귀 마): 숨이 끊어질 때의 모진 고통
④ 백안시(白眼視: 흰 백, 눈 안, 볼 시): 남을 업신여기거나 무시하는 태도로 흘겨봄

## 51

[2014년 지방직 9급 (6월)]

**다음 글의 괄호 안에 들어갈 말로 가장 적절한 것은?**

베이징이나 시안 등지에서 볼 수 있는 중국의 유적들은 왜 그리도 클까? 이들 유적들은 크기만 한 것이 아니라 비인간적이라 할 만큼 권위적이다. 왜 그런가? 중국은 광대한 나라였다. 그러므로 그 넓은 나라를 효과적으로 통치하기 위해서는 천자로 대표되는 정치적 권위가 절실하게 요구되었다. 이 넓은 나라의 통일성을 유지하기 위해서는 예상되는 지방의 반란에 대비하고 중앙의 권위에 복종하지 않는 지방 세력가들을 다스릴 수 있는 무자비한 권력이 절대로 필요하였다. 그래서 중국의 황제는 천자로 불리었으며, 그 권위에는 누구든지 절대 복종할 것을 요구하였다. 그러므로 중국의 황제는 단순한 세속인이 아니라 일종의 신적인 존재이기도 하였다. 중국 황제의 절대 권위, 이것을 온 천하에 확실하게 보여 주지 않는다면 중국의 중심이 어디에 있는지 모를 것이며, 그러면 그 나라는 다시 분열된 여러 왕국으로 나뉘게 될 것이었다. 이런 이념으로 만들어진 중국의 정치적 유물들은 그 규모가 장대할 뿐 아니라 고도로 권위적인 것이 될 수밖에 없었다.

반면에 우리나라는 그렇게 광대한 나라는 아니었다. 그렇다고 해서 우리나라가 권위를 강조하지 않은 것은 아니었다. 그러한 사실은 조선 시대를 통해서도 잘 드러난다. 그러나 조선 시대의 왕들은 중국의 황제와 같은 권위를 ( ㉠ )할 수는 없었다. 두 나라의 사회 구조, 정치 이념, 자연환경 등 모든 것이 다르기 때문이었다. 그로 인해 조선의 왕들은 주변의 정치 세력에 대하여 훨씬 더 ( ㉡ )이어야만 하였다. 더욱이 중국은 황토로 이루어진 광대한 평원 위에 도시를 만들 수밖에 없었지만, 우리는 높고 낮은 수많은 산으로 이루어진 지형을 이용하여 왕성을 건설할 수 밖에 없었다. 이러한 차이점들이 복합적으로 어울려 양국의 역사와 문화의 성격을 서로 다르게 만들었다. 큰 것이 선천적으로 잘나서도 아니며, 그렇다고 작은 것이 못나서도 아닌 것이다. 한중 양국은 각자의 ( ㉢ )에 따라 오랜 세월에 걸쳐 이처럼 서로 다른 문화를 발전시켜 온 것이다.

| | ㉠ | ㉡ | ㉢ |
|---|---|---|---|
| ① | 강조(強調) | 위압적(威壓的) | 전망(展望) |
| ② | 향유(享有) | 정략적(政略的) | 능력(能力) |
| ③ | 구축(構築) | 타협적(妥協的) | 필요(必要) |
| ④ | 행사(行使) | 당파적(黨派的) | 권고(勸告) |

## • 3. 한자어의 독음

## 52

[2019년 국회직 8급]

**밑줄 친 한자어의 한글 표기로 옳지 않은 것은?**

㉠滔滔히 밀려오는 亡國의 濁流—이 金力과 權力, 邪惡앞에 목숨으로써 防波堤를 이루고 있는 사람들은 志操의 ㉡喊聲을 높이 외치라. 그 知性 앞에는 사나운 물결도 물러서지 않고는 못 배길 것이다. 天下의 ㉢大勢가 바른 것을 향하여 다가오는 때에 變節이란 무슨 어처구니없는 말인가. 李完用은 나라를 팔아먹어도 자기를 위한 36년의 ㉣先見之明은 가졌었다. 무너질 날이 얼마 남지 않은 權力에 뒤늦게 팔리는 行色은 막하기 짝없다. 배고프고 욕된 것을 조금 더 참으라. 그보다 더한 욕이 ㉤變節 뒤에 기다리고 있다.

① ㉠담담      ② ㉡함성
③ ㉢대세      ④ ㉣선견지명
⑤ ㉤변절

## 53

[2019년 국회직 8급]

**한자어의 독음이 모두 옳은 것은?**

① 更新(경신), 復權(복권), 有名稅(유명세), 劃策(획책), 周旋(주유)

② 該當(해당), 比率(비율), 收斂(수험), 墮落(추락), 開拓(개척)

③ 樣相(양상), 建築(건축), 未達(미비), 部族(부족), 傳達(전달)

④ 收益(수익), 交流(교류), 鬱寂(울적), 於此彼(어차피), 代替(대체)

⑤ 賂物(뇌물), 思惟(사변), 役割(역할), 準備(준비), 摘出(적출)

## 51

난이도 ★★★

**해설** ③ ㉠에는 문맥상 '권위'를 강조하거나 '누리다', '세우다' 등의 의미를 가진 단어가 들어가는 것이 자연스러우므로 ①~④ 선택지의 단어들이 모두 들어갈 수 있다. ㉡ 앞뒤의 문장에서는 모두 조선의 왕들과 중국의 황제 간의 대비되는 점을 언급하고 있으므로, ① '위압적'과 ④ '당파적'은 적절하지 않다. ㉢이 포함된 문장은 한중 양국이 사회 구조, 정치 이념, 자연환경 등의 외부적 조건에 따라 필요한 문화를 발전시켜 왔다는 점을 밝히고 있으므로 ③ '필요'가 가장 적절하다. 따라서 괄호 안에 들어갈 말로 가장 적절한 것은 ③이다.

- 구축(構築): 체제나 체계 등의 기초를 닦아 세움
- 타협적(妥協的): 어떤 일을 서로 양보하는 마음으로 협의해서 하거나, 협의하려는 태도를 보이는 것
- 필요(必要): 반드시 요구되는 바가 있음

**오답분석** ① • 강조(強調): 어떤 부분을 특별히 강하게 주장하거나 두드러지게 함
- 위압적(威壓的): 위엄이나 위력으로 압박하거나 정신적으로 억누르는 것
- 전망(展望): 앞날을 헤아려 내다봄. 또는 내다보이는 장래의 상황

② • 향유(享有): 누리어 가짐
- 정략적(政略的): 정치상의 책략을 목적으로 하는 것
- 능력(能力): 일을 감당해 낼 수 있는 힘

④ • 행사(行使): 부려서 씀
- 당파적(黨派的): 자신이 속한 당파를 무조건 편들려 하는 것
- 권고(勸告): 어떤 일을 하도록 권함. 또는 그런 말

## 52

난이도 ★★★

**해설** ① ㉠ '滔滔'의 독음은 '도도'이므로 ①의 한글 표기는 옳지 않다.
- 滔滔(도도: 물 넘칠 도, 물 넘칠 도): 유행이나 사조, 세력 등이 바짝 성행하여 걷잡을 수가 없음

**오답분석** ② ㉡ 喊聲(함성: 소리칠 함, 소리 성)(○): 여러 사람이 함께 외치거나 지르는 소리

③ ㉢ 大勢(대세: 클 대, 형세 세)(○): 일이 진행되어 가는 결정적인 형세

④ ㉣ 先見之明(선견지명: 먼저 선, 볼 견, 갈 지, 밝을 명)(○): 어떤 일이 일어나기 전에 미리 앞을 내다보고 아는 지혜

⑤ ㉤ 變節(변절: 변할 변, 마디 절)(○): 절개나 지조를 지키지 않고 바꿈

## 53

난이도 ★★★

**해설** ④ 제시된 한자어의 독음이 모두 옳은 것은 ④이다.
- 수익(收益: 거둘 수, 더할 익): 이익을 거두어들임. 또는 그 이익
- 교류(交流: 사귈 교, 흐를 류): 1. 근원이 다른 물줄기가 서로 섞이어 흐름. 또는 그런 줄기 2. 문화나 사상 등이 서로 통함
- 울적(鬱寂: 답답할 울, 고요할 적): 마음이 답답하고 쓸쓸함
- 어차피(於此彼: 어조사 어, 이 차, 저 피): 이렇게 하든지 저렇게 하든지. 또는 이렇게 되든지 저렇게 되든지
- 대체(代替: 대신할 대, 바꿀 체): 다른 것으로 대신함

**오답분석** ① 주유(×) → 주선(周旋: 두루 주, 돌 선)(○): 일이 잘되도록 여러 가지 방법으로 힘씀

② • 수험(×) → 수렴(收斂: 거둘 수, 거둘 렴)(○): 돈이나 물건 등을 거두어들임
- 추락(×) → 타락(墮落: 떨어질 타, 떨어질 락)(○): 올바른 길에서 벗어나 잘못된 길로 빠지는 일

③ 미비(×) → 미달(未達: 아닐 미, 통달할 달)(○): 어떤 한도에 이르거나 미치지 못함

⑤ 사변(×) → 사유(思惟: 생각 사, 생각할 유)(○): 대상을 두루 생각하는 일

## 54

[2018년 지방직 7급]

밑줄 친 한자의 독음이 다른 것으로 짝지어진 것은?

① 復活 – 復命
② 樂園 – 樂勝
③ 降等 – 下降
④ 率先 – 引率

## 56

[2017년 서울시 9급]

다음 중 한자어와 독음이 바르게 연결된 것은?

① 陶冶 – 도치
② 改悛 – 개전
③ 殺到 – 살도
④ 汨沒 – 일몰

## 57

[2016년 지방직 9급]

단어의 밑줄 친 부분의 음이 다른 것은?

① 否認
② 否定
③ 否決
④ 否運

## 55

[2017년 국가직 9급 (4월)]

독음이 모두 바른 것은?

① 探險(탐험) – 矛盾(모순) – 貨幣(화폐)
② 詐欺(사기) – 惹起(야기) – 灼熱(치열)
③ 荊棘(형자) – 破綻(파탄) – 洞察(통찰)
④ 箴言(잠언) – 惡寒(악한) – 奢侈(사치)

## 58

[2014년 지방직 9급 (10월)]

한자어의 독음이 바른 것은?

① 看做(간고)
② 捺印(나인)
③ 明晳(명철)
④ 遡及(소급)

**54**                                                                                      난이도 ★★☆

**해설** ① '復活'의 '復'는 '부'로 읽고, '復命'의 '復'은 '복'으로 읽는 다. 따라서 밑줄 친 한자의 독음이 다른 것으로 짝지어진 것은 ①이다.
- **復活**(부활: 다시 부, 살 활): 1. 죽었다가 다시 살아남 2. 쇠퇴 하거나 폐지한 것이 다시 성하게 됨. 또는 그렇게 함
- **復命**(복명: 회복할 복, 목숨 명): 명령을 받고 일을 처리한 사 람이 그 결과를 보고함

**오답분석** ② • **樂園**(낙원: 즐길 낙, 동산 원): 1. 아무런 괴로움이나 고통이 없이 안락하게 살 수 있는 즐거운 곳 2. '고난과 슬픔 등을 느 낄 수 없는 곳'이라는 뜻에서, 죽은 뒤의 세계를 비유적으로 이르는 말
- **樂勝**(낙승: 즐길 낙, 이길 승): 힘들이지 않고 쉽게 이김
③ • **降等**(강등: 내릴 강, 무리 등): 등급이나 계급 등이 낮아짐. 또 는 등급이나 계급 등을 낮춤
- **下降**(하강: 아래 하, 내릴 강): 1. 높은 곳에서 아래로 향하여 내려옴 2. 신선이 속계로 내려오거나 윗어른이 아랫자리로 내려옴
④ • **率先**(솔선: 거느릴 솔, 먼저 선): 남보다 앞장서서 먼저 함
- **引率**(인솔: 끌 인, 거느릴 솔): 여러 사람을 이끌고 감

**55**                                                                                      난이도 ★★★

**해설** ① 제시된 한자어의 독음이 모두 바른 것은 ①이다.
- **探險**(탐험: 찾을 탐, 험할 험): 위험을 무릅쓰고 어떤 곳을 찾 아가서 살펴보고 조사함
- **矛盾**(모순: 창 모, 방패 순): 두 사실이 이치상 어긋나서 서로 맞지 않음을 이르는 말
- **貨幣**(화폐: 재물 화, 화폐 폐): 상품 교환 가치의 척도가 되며 그것의 교환을 매개하는 일반화된 수단

**오답분석** ② 치열(×) → 작열(灼熱: 불사를 작, 더울 열)(○): 1. 불 등이 이글 이글 뜨겁게 타오름 2. 몹시 흥분하여 이글거리듯 들끓음을 비유적으로 이르는 말
③ 형자(×) → 형극(荊棘: 가시나무 형, 가시 극)(○): 1. 나무의 온 갖 가시 2. 고난을 비유적으로 이르는 말
④ 악한(×) → 오한(惡寒: 미워할 오, 찰 한)(○): 몸이 오슬오슬 춥 고 떨리는 증상. 이때 '惡(미워할 오, 악할 악)'는 동자이음 한 자이므로 '惡寒(오한)'을 '악한'으로 읽지 않도록 주의한다.

**56**                                                                                      난이도 ★★★

**해설** ② 제시된 한자어의 독음이 바르게 연결된 것은 ②이다.
- **改悛**(개전: 고칠 개, 고칠 전): 행실이나 태도의 잘못을 뉘우 치고 마음을 바르게 고쳐먹음

**오답분석** ① 陶冶(도치)(×) → (도야: 질그릇 도, 풀무 야)(○): 1. 도기를 만 드는 일과 쇠를 주조하는 일. 또는 그런 일을 하는 사람 2. 홀 륭한 사람이 되도록 몸과 마음을 닦아 기름을 비유적으로 이 르는 말
③ 殺到(살도)(×) → (쇄도: 빠를 쇄, 이를 도)(○): 1. 전화, 주문 등이 한꺼번에 세차게 몰려듦 2. 어떤 곳을 향하여 세차게 달 려듦. 이때, '殺(죽일 살, 빠를 쇄)'는 동자이음 한자이므로 '殺 到(쇄도)'를 '살도'로 읽지 않도록 주의한다.
④ 汨沒(일몰)(×) → (골몰: 골몰할 골, 빠질 몰)(○): 다른 생각을 할 여유도 없이 한 가지 일에만 파묻힘

**57**                                                                                      난이도 ★★☆

**해설** ④ '否運'에서 '否'는 '비'로 읽으나, ① ② ③의 '否'는 모두 '부'로 읽으므로 나머지 셋과 음이 다른 하나는 ④이다. '否 (막힐 비, 아닐 부)'는 '비'로도 읽고 '부'로도 읽는 동자이음 한자이다.
- **否運**(비운: 막힐 비, 옮길 운): 1. 막혀서 어려운 처지에 이른 운수 2. 불행한 운명

**오답분석** ① 否認(부인: 아닐 부, 알 인): 어떤 내용이나 사실을 옳거나 그렇 다고 인정하지 않음
② 否定(부정: 아닐 부, 정할 정): 그렇지 않다고 단정하거나 옳지 않다고 반대함
③ 否決(부결: 아닐 부, 결단할 결): 의논한 안건을 받아들이지 않 기로 결정함. 또는 그런 결정

**58**                                                                                      난이도 ★★★

**해설** ④ 제시된 한자어의 독음이 바른 것은 ④이다.
- **遡及**(소급: 거스를 소, 미칠 급): 과거에까지 거슬러 올라가서 미치게 함

**오답분석** ① 看做(간고)(×) → (간주: 볼 간, 지을 주)(○): 상태, 모양, 성질 등이 그와 같다고 봄. 또는 그렇다고 여김
② 捺印(나인)(×) → (날인: 누를 날, 도장 인)(○): 도장을 찍음
③ 明晳(명철)(×) → (명석: 밝을 명, 밝을 석)(○): 생각이나 판단 력이 분명하고 똑똑함

## 01
[2021년 지방직 9급]

**단어의 뜻풀이가 옳지 않은 것은?**

① 반나절: 하루 낮의 반

② 달포: 한 달이 조금 넘는 기간

③ 그끄저께: 오늘로부터 사흘 전의 날

④ 해거리: 한 해를 거른 간격

## 02
[2019년 서울시 9급 (2월)]

**어휘의 뜻풀이가 가장 옳지 않은 것은?**

① 가멸차다: 재산이나 자원 따위가 매우 많고 풍족하다

② 상고대: 나무나 풀에 내려 눈처럼 된 서리

③ 안다미로: 다른 사람이 믿을 수 있도록 성실하게

④ 톺아보다: 샅샅이 훑어 가며 살피다

## 03
[2017년 국가직 9급 (4월)]

**밑줄 친 말의 사전적 의미로 가장 적절한 것은?**

> 아이들이야 학교 가는 시간을 빼고는 내내 밖에서만 노는데, 놀아도 여간 시망스럽게 놀지 않았다.
>
> - 최일남, '노새 두 마리'

① 몹시 짓궂은 데가 있다.

② 생기 있고 힘차며 시원스럽다.

③ 어수선하여 질서나 통일성이 없다.

④ 보기에 태도나 행동이 가벼운 데가 있다.

## 04
[2017년 경찰직 2차]

**다음 ㉠~㉣에 대한 설명 중 가장 적절하지 않은 것은?**

> ─〈보기〉─
>
> 마을 사람들은 거지반 돌아간 뒤요, 팔리지 못한 나무꾼 패가 길거리에 ㉠궁싯거리고들 있으나, 석유병이나 받고 고깃 마리나 사면 족할 이 ㉡축들을 바라고 언제까지든지 버티고 있을 법은 없다. ㉢츱츱스럽게 날아드는 파리 떼도, 장난꾼 ㉣각다귀들도 귀찮다. 얼금뱅이요 왼손잡이인 드팀전의 허 생원은 기어코 동업의 조 선달을 나꾸어 보았다.

① ㉠어찌할 바를 몰라 이리저리 머뭇거리고

② ㉡일정한 특성에 따라 나누어지는 부류

③ ㉢정확하게 맞아 조금도 틀리지 아니하게

④ ㉣곤충의 한 종류. 남의 것을 뜯어먹고 사는 사람을 비유적으로 이르는 말

## 05
[2017년 사회복지직 9급]

**단어의 뜻풀이가 옳지 않은 것은?**

① 자리끼: 밤에 자다가 마시기 위하여 잠자리의 머리맡에 준비하여 두는 물

② 무람없다: 생김새가 볼품없고 세련되지 못하다.

③ 국으로: 제 생긴 그대로

④ 짜장: 과연 정말로

## 06
[2017년 서울시 9급]

**다음 중 단어의 뜻풀이가 옳지 않은 것은?**

① 가닐대다 - 벌레가 기어가는 것처럼 살갗에 간지럽고 자릿한 느낌이 자꾸 들다.

② 굼적대다 - 느리고 폭이 넓게 자꾸 물결치다.

③ 꼬약대다 - 음식 따위를 한꺼번에 입에 많이 넣고 잇따라 조금씩 씹다.

④ 끌끌대다 - 마음에 마땅찮아 혀를 차는 소리를 자꾸 내다.

고유어
한자 성어 32% 한자어 47% 16% 5%
한자어와 고유어의 대응

## 01
난이도 ★★☆

**해설** '정답 없음'으로 최종 발표된 문제이다.

**오답 분석**
① 반나절: 1. 한나절의 반 2. 하룻낮의 반

② 달포: 한 달이 조금 넘는 기간

③ 그끄저께: 그저께의 전날. 오늘로부터 사흘 전의 날

④ 해거리: 한 해를 거름. 또는 그런 간격

## 02
난이도 ★☆☆

**해설** ③ '안다미로'는 '담은 것이 그릇에 넘치도록 많이'를 뜻하므로 어휘의 뜻풀이가 가장 옳지 않은 것은 ③이다.

## 03
난이도 ★★★

**해설** ① '시망스럽다'는 '몹시 짓궂은 데가 있다'를 뜻하는 말이므로 답은 ①이다.

**오답 분석**
② '활발하다'의 뜻풀이이다.

③ '산만하다'의 뜻풀이이다.

④ '잔망스럽다'의 뜻풀이이다.

## 04
난이도 ★★☆

**해설** ③ ⓒ '춥춥스럽게'는 '보기에 너절하고 염치없는 데가 있게'를 뜻한다. '정확하게 맞아 조금도 틀리지 아니하게'는 '적확히'의 뜻이므로 ③의 설명이 적절하지 않다.

**오답 분석**
① ㉠ 궁싯거리다: 1. 잠이 오지 않아 누워서 몸을 이리저리 뒤척거리다. 2. 어찌할 바를 몰라 이리저리 머뭇거리다.

## 05
난이도 ★★☆

**해설** ② '무람없다'는 '예의를 지키지 않으며 삼가고 조심하는 것이 없다'를 뜻하므로 ②의 뜻풀이는 옳지 않다.

**오답 분석**
③ 국으로: 1. 제 생긴 그대로 2. 자기 주제에 맞게

## 06
난이도 ★★★

**해설** ② '굼적대다'의 뜻풀이가 옳지 않으므로 답은 ②이다. 참고로 '느리고 폭이 넓게 자꾸 물결치다'는 '금실대다'의 뜻이다.
• 굼적대다: 몸이 둔하고 느리게 자꾸 움직이다. 또는 몸을 둔하고 느리게 자꾸 움직이다.

**오답 분석**
① 가닐대다: 1. 벌레가 기어가는 것처럼 살갗에 간지럽고 자릿한 느낌이 자꾸 들다. 2. 보기에 매우 위태롭거나 치사하고 더러워 마음에 자린 느낌이 자꾸 들다.

**07** [2016년 국가직 9급]

밑줄 친 어휘의 뜻풀이가 옳지 않은 것은?

① 해미 때문에 한 치 앞도 보이지 않았다.
　　– 해미: 바다 위에 낀 짙은 안개

② 이제는 안갚음할 때가 되었다.
　　– 안갚음: 남에게 해를 받은 만큼 저도 그에게 해를 다시 줌

③ 그 울타리는 오랫동안 살피지 않아 영 볼썽이 아니었다.
　　– 볼썽: 남에게 보이는 체면이나 태도

④ 상고대가 있는 풍경을 만났다.
　　– 상고대: 나무나 풀에 내려 눈처럼 된 서리

**08** [2016년 서울시 9급]

다음 중 고유어의 뜻풀이가 옳지 않은 것은?

① 노느매기: 물건을 여러 몫으로 나누는 일

② 비나리치다: 갑자기 내린 비를 피하려고 허둥대다.

③ 가리사니: 사물을 판단할 수 있는 지각이나 실마리

④ 던적스럽다: 하는 짓이 보기에 매우 치사하고 더러운 데
　가 있다.

**09** [2016년 지방직 7급]

단어의 뜻풀이로 옳지 않은 것은?

① 암팡지다 – 몸은 작아도 힘차고 다부지다.

② 음전하다 – 말이나 행동이 음흉한 데가 있다.

③ 객쩍다 – 말이나 하는 짓이 실없고 싱겁다.

④ 흰소리 – 터무니없이 자랑으로 떠벌리거나 거드럭거리며
　허풍을 떠는 말

**10** [2015년 지방직 9급]

밑줄 친 단어의 뜻풀이로 바르지 않은 것은?

① 나이도 먹을 만큼 먹었는데 어쩌면 저렇게 숫저울까?
　　– 숫접다: 순박하고 진실하다.

② 그녀는 그가 떠날까 저어하였다.
　　– 저어하다: 염려하거나 두려워하다.

③ 나는 곰살궂게 이모의 팔다리를 주물렀다.
　　– 곰살궂다: 일이나 행동이 적당하다.

④ 아이들이 놀이방에서 새살거렸다.
　　– 새살거리다: 샐샐 웃으면서 재미있게 자꾸 지껄이다.

**11** [2015년 서울시 9급]

다음 제시된 단어 중 뜻풀이가 옳지 않은 것은?

① 여봐란듯이: 우쭐대고 자랑하듯이

② 가뭇없이: 보이던 것이 전혀 보이지 않아 찾을 곳이 감감
　하게

③ 오롯이: 모자람이 없이 온전하게

④ 대수로이: 그다지 훌륭하지 아니하게

**12** [2015년 지방직 7급]

밑줄 친 단어의 뜻풀이로 바르지 않은 것은?

① 이 집 한 채나마 깝살릴 테냐?
　　– 깝살리다: 재물이나 기회 따위를 흐지부지 다 없애다.

② 무릎을 꿇고 한참 입을 달막거렸다.
　　– 달막거리다: 말할 듯이 입술이 자꾸 가볍게 열렸다 닫
　혔다 하다. 또는 그렇게 되게 하다.

③ 너 자꾸 자부락거리지 말고 할 일이나 해라.
　　– 자부락거리다: 가만히 있는 사람을 실없이 자꾸 건드
　려 귀찮게 하다.

④ 데생긴 감자들이 한곳에 모여 있었다.
　　– 데생기다: 생김새나 됨됨이가 번듯하고 실하다.

## 07                                                       난이도 ★★☆

해설 ② '남에게 해를 받은 만큼 저도 그에게 해를 다시 줌'은 '앙갚음'
의 뜻이므로 뜻풀이가 옳지 않은 것은 ② '안갚음'이다.
- 안갚음: 1. 까마귀 새끼가 자라서 늙은 어미에게 먹이를 물
어다 주는 일 2. 자식이 커서 부모를 봉양하는 일

## 08                                                       난이도 ★★★

해설 ② '비나리치다'의 뜻풀이가 옳지 않다. '비나리치다'는 표준국
어대사전에 등재되어 있지 않으나 표준어 '비나리'를 통해
'남의 환심을 사려고 아첨하다' 정도로 이해할 수 있다.
- 비나리: 남의 환심을 사려고 아첨함

## 09                                                       난이도 ★★☆

해설 ② '음전하다'는 '말이나 행동이 곱고 우아하다' 또는 '얌전하고
점잖다'를 뜻하므로 ②는 잘못된 뜻풀이이다.

## 10                                                       난이도 ★★☆

해설 ③ 제시된 문장에서 '곰살궂다'는 '꼼꼼하고 자세하다'를 뜻하
므로 ③의 뜻풀이는 바르지 않다.
- 곰살궂다: 1. 태도나 성질이 부드럽고 친절하다. 2. 꼼꼼하
고 자세하다.

## 11                                                       난이도 ★★☆

해설 ④ '대수로이'는 '중요하게 여길 만한 정도로'를 뜻하므로 ④의
뜻풀이는 옳지 않다. 참고로 '그다지 훌륭하지 아니하게'를
뜻하는 단어는 '하찮이'이다.

오답
분석 ② 가뭇없이: 1. 보이던 것이 전혀 보이지 않아 찾을 곳이 감감하
게 2. 눈에 띄지 않게 감쪽같이

③ • 오롯이¹: 모자람이 없이 온전하게
- 오롯이²: 고요하고 쓸쓸하게

## 12                                                       난이도 ★★☆

해설 ④ '데생기다'는 '생김새나 됨됨이가 완전하게 이루어지지 못하
여 못나게 생기다'를 뜻하므로 ④의 뜻풀이는 바르지 않다.

## 01

[2020년 지방직 9급]

밑줄 친 단어와 바꿔 쓸 수 있는 한자어로 가장 적절한 것은?

① 그는 가수가 되려는 꿈을 버리고 직장을 구했다.
　→ 遺棄하고
② 휴가철인 7~8월에 버려지는 반려견들이 가장 많다.
　→ 根絶되는
③ 그는 집 앞에 몰래 쓰레기를 버리고 간 사람을 찾고 있다.
　→ 投棄하고
④ 취직하려면 그녀는 우선 지각하는 습관을 버려야 할 것이다.
　→ 抛棄해야

## 02

[2020년 군무원 9급]

다음 글에서 밑줄 친 ㉠과 바꿔 쓰기에 가장 적절한 것은?

> 킬트의 독특한 체크무늬가 각 씨족의 상징으로 자리잡은 것은, 1822년에 영국 왕이 방문했을 때 성대한 환영 행사를 마련하면서 각 씨족장들에게 다른 무늬의 킬트를 입도록 종용하면서부터이다. 이때 채택된 독특한 체크무늬가 각 씨족을 대표하는 의상으로 ㉠자리를 잡게 되었다.

① 정돈(整頓)되었다.　② 정제(精製)되었다.
③ 정리(整理)되었다.　④ 정착(定着)되었다.

## 03

[2018년 소방직 9급 (10월)]

밑줄 친 고유어 '느낌'에 대한 유의어를 한자어로 바꾸었을 때, 적절하지 않은 것은?

① 나도 잘 알지, 그 느낌이 어떤 건지.
　→ 기분(氣分)
② 그 책에 대한 느낌은 정말 신선한 충격이었어.
　→ 소감(所感)
③ 전학 가는 보람이를 배웅하는데 서운한 느낌이 들었다.
　→ 감정(感情)
④ 어딘지 모르게 그들의 행동에서 미심쩍은 느낌을 지울 수가 없다. → 감회(感懷)

## 04

[2018년 국가직 7급]

밑줄 친 부분을 고유어로 바꿀 때 적절한 것은?

① 소기의 목적을 달성하기 위해 노력합시다. → 바라는
② 우리는 연 3%의 연체 이자를 납부합니다. → 에누리를
③ 부서의 현재 상황을 상신하여 주시기 바랍니다. → 헤아려
④ 오늘 경기가 취소되었으니 양지하시기 바랍니다. → 알려 주시기

## 05

[2017년 국가직 7급 (10월)]

고유어에 대응되는 한자어를 잘못 제시한 것은?

① 지름길 – 捷徑
② 비웃음 – 苦笑
③ 마름질 – 裁斷
④ 게으름 – 懈怠

## 06

[2014년 국가직 7급]

밑줄 친 한자어를 우리말로 고친 것으로 옳지 않은 것은?

① 섣부른 豫斷은 금물이다. – 지레짐작은
② 경제 발전에 전력을 傾注하다. – 기울이다
③ 눈동자가 기쁨으로 充溢하다. – 가득 차다
④ 이 서류들을 잘 분류해서 編綴해 두어라. – 놓아

## 01

난이도 ★★☆

**해설** ③ '쓰레기를 버리고'에서 '버리다'는 '가지거나 지니고 있을 필요가 없는 물건을 내던지거나 쏟거나 하다'를 뜻하므로 '내던져 버림'을 뜻하는 **投棄(투기)**로 바꿔 쓸 수 있다.

**오답분석** ① 꿈을 **버리고**: 이때 '버리다'는 '품었던 생각을 스스로 잊다'를 뜻하므로 '遺棄(유기)'가 아닌 '拋棄(포기)'로 바꿔 쓰는 것이 적절하다.
- **遺棄**(남길 유, 버릴 기): 내다 버림

② 버려지는 반려견들: 이때 '버리다'는 '직접 깊은 관계가 있는 사람과의 사이를 끊고 돌보지 않다'를 뜻하므로 '根絶(근절)'이 아닌 '遺棄(유기)'로 바꿔 쓰는 것이 적절하다.
- **根絶**(뿌리 근, 끊을 절): 다시 살아날 수 없도록 아주 뿌리째 없애 버림

④ 습관을 **버려야**: 이때 '버리다'는 '못된 성격이나 버릇 등을 떼어 없애다'를 뜻하므로 '拋棄(포기)'가 아닌 '根絶(근절)'로 바꿔 쓰는 것이 적절하다.
- **拋棄**(던질 포, 버릴 기): 하려던 일을 도중에 그만두어 버림

## 02

난이도 ★☆☆

**해설** ④ 밑줄 친 ㉠은 문맥상 독특한 체크무늬 의상이 각 씨족을 대표하는 상징으로 사회에 받아들여졌다는 의미이므로, '새로운 문화 현상, 학설 등이 당연한 것으로 사회에 받아들여지다'를 뜻하는 ④ '정착(定着)되었다'로 바꿔 쓰는 것이 적절하다.

**오답분석** ① 정돈(整頓)되다: 어지럽게 흩어진 것이 규모 있게 고쳐져 놓이거나 가지런히 바로잡아 정리되다.

② 정제(精製)되다: 1. 정성이 들어가 정밀하게 잘 만들어지다. 2. 물질에 섞인 불순물이 없어져 그 물질이 더 순수하게 되다.

③ 정리(整理)되다: 1. 흐트러지거나 혼란스러운 상태에 있는 것이 한데 모아지거나 치워져서 질서 있는 상태가 되다. 2. 체계적으로 분류되고 종합되다.

## 03

난이도 ★★☆

**해설** ④ '감회(感懷)'는 '지난 일을 돌이켜 볼 때 느껴지는 회포'를 뜻하므로 ④의 밑줄 친 '느낌'에 대응하는 한자어로 적절하지 않다.

**오답분석** ① 기분(氣分): 대상·환경 등에 따라 마음에 절로 생기며 한동안 지속되는, 유쾌함이나 불쾌함 등의 감정

② 소감(所感): 마음에 느낀 바

③ 감정(感情): 어떤 현상이나 일에 대하여 일어나는 마음이나 느끼는 기분

## 04

난이도 ★★☆

**해설** ① '소기(所期)'는 '기대한 바'를 뜻하므로 '생각이나 바람대로 이루어지거나 그렇게 되었으면 하고 생각하다'를 뜻하는 '바라다'로 바꾸어 쓰는 것이 적절하다.

**오답분석** ② '이자(利子)'는 '남에게 돈을 빌려 쓴 대가로 치르는 일정한 비율의 돈'을 뜻하므로 '받을 값보다 더 많이 부르는 물건 값'을 뜻하는 '에누리'로 바꾸어 쓰는 것은 적절하지 않다. 참고로 '이자(利子)'는 '길미', '변리'로 바꾸어 쓰는 것이 적절하다.

③ '상신하다(上申-)'는 '윗사람이나 관청 등에 일에 대한 의견이나 사정 등을 말이나 글로 보고하다'를 뜻하므로 '짐작하여 가늠하거나 미루어 생각하다'를 뜻하는 '헤아리다'로 바꾸어 쓰는 것은 적절하지 않다.

④ '양지하다(諒知-)'는 '살피어 알다'를 뜻하므로 '알려 주다'로 바꾸어 쓰는 것은 적절하지 않다.

## 05

난이도 ★★☆

**해설** ② '비웃음'에 대응하는 한자어는 '誹笑(비소: 헐뜯을 비, 웃음 소)' 또는 '嘲笑(조소: 비웃을 조, 웃음 소)'이다. '苦笑(고소: 쓸 고, 웃음 소)'는 '어이가 없거나 마지못하여 짓는 웃음'을 뜻한다.

**오답분석** ① 捷徑(첩경: 빠를 첩, 지름길 경): 1. 멀리 돌지 않고 가깝게 질러 통하는 길 2. 가장 쉽고 빠른 방법을 비유적으로 이르는 말

③ 裁斷(재단: 마를 재, 끊을 단): 옷감이나 재목 등을 치수에 맞도록 재거나 자르는 일

④ 懈怠(해태: 게으를 해, 게으를 태): 행동이 느리고 움직이거나 일하기를 싫어하는 태도나 버릇

## 06

난이도 ★★☆

**해설** ④ '編綴(편철: 엮을 편, 엮을 철)'은 '통신·문건·신문 등을 정리하여 짜서 철하거나 엮어 짬'을 뜻하므로, ④의 '놓아'로 고치는 것은 옳지 않다.

**오답분석** ① '豫斷(예단: 미리 예, 끊을 단)'은 '미리 판단함. 또는 그 판단'을 뜻하는 말이고, '지레짐작'은 '어떤 일이 일어나기 전 또는 어떤 기회나 때가 무르익기 전에 확실하지 않은 것을 성급하게 미리 하는 짐작'을 뜻하는 말이다. 따라서 '豫斷'은 '지레 짐작'으로 고쳐 쓸 수 있다.

② '傾注(경주: 기울 경, 부을 주)'는 '힘이나 정신을 한곳에만 기울임'을 뜻하는 말이므로, '기울이다'로 고쳐 쓸 수 있다.

③ '充溢(충일: 채울 충, 넘칠 일)'은 '가득 차서 넘침'을 뜻하는 말이므로, '가득 차다'로 고쳐 쓸 수 있다.